KB087264

똑똑한
하루
Grammar

똑똑한 하루 Grammar
시리즈 구성 (Level 1~4)

Level 1 A, B
3학년 영어

Level 2 A, B
4학년 영어

Level 3 A, B
5학년 영어

Level 4 A, B
6학년 영어

똑똑한 하루 Grammar만의

똑똑한
부가 자료

책 속 부록

문법 예문

온라인 자료

QR

▷ QR코드를 스캔하여
  편리하게 음원을
  들으며 학습하세요.

추가 활동지

▷ 다양한 추가 활동지를
  book.chunjae.co.kr
  에서 다운 받으세요.

똑똑한
하루
Grammar

4주 완성 스케줄표

2B

★ 공부한 날짜를 써 봐!

1주
현재 진행형

1일 8~17쪽	2일 18~23쪽	3일 24~29쪽	4일 30~35쪽	5일 36~41쪽
월 일	월 일	월 일	월 일	월 일

특강
42~49쪽
월 일

힘을 내! 넌 최고야!

5일 78~83쪽	4일 72~77쪽	3일 66~71쪽	2일 60~65쪽	1일 50~59쪽
월 일	월 일	월 일	월 일	월 일

2주
의문사

계획대로만 하면 금방 끝날 거야!

특강
84~91쪽
월 일

배운 문법은 꼭꼭 복습하기!

3주
부사 · 전치사

1일 92~101쪽	2일 102~107쪽	3일 108~113쪽	4일 114~119쪽	5일 120~125쪽
월 일	월 일	월 일	월 일	월 일

특강
126~133쪽
월 일

마지막 4주 공부 중. 감동이야!

특강
168~175쪽
월 일

5일 162~167쪽	4일 156~161쪽	3일 150~155쪽	2일 144~149쪽	1일 134~143쪽
월 일	월 일	월 일	월 일	월 일

4주
명령문 · 제안문 · 감탄문

똑똑한 하루 Grammar

똑똑한 QR 사용법

QR 음원 편리하게 듣기

1. 표지의 QR 코드를 찍어
   리스트형으로 모아 듣기

2. 교재의 QR 코드를 찍어 바로 듣기

편하고 똑똑하게!

Chunjae
Makes
Chunjae

▼

편집개발	이명진, 김희윤, 한새미, 윤미영
디자인총괄	김희정
표지디자인	윤순미, 이주영
내지디자인	박희춘
제작	황성진, 조규영

발행일	2021년 11월 15일 초판 2024년 4월 1일 3쇄
발행인	(주)천재교육
주소	서울시 금천구 가산로9길 54
신고번호	제2001-000018호
고객센터	1577-0902

똑 똑 한
하루
Grammar

4학년 영어
2B

똑똑한 하루 Grammar ★LEVEL 2 B★

구성과 활용 방법

한 주 미리보기

미리보기 만화

미리보기 활동

문법 1~4일

재미있는 만화를 읽으며
오늘 공부할 문법을 만나요.

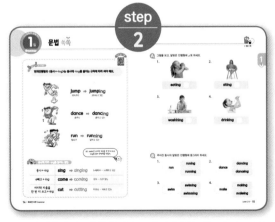

문법 설명과 예문을 읽으면서 들은 후 따라 써요.

공부한 문법을 문제로 확인해요.

복습
5일

step
1

재미있는 만화를 읽으며
한 주 동안 공부한 문법을 복습해요.

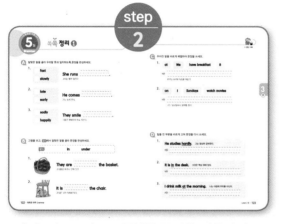

step
2

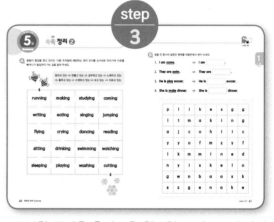

step
3

사진 또는 그림으로 공부한 문법을 떠올리며
문제를 풀어요.

공부한 문법을 흥미로운 활동형 문제로 복습하며
확인해요.

Brain Game Zone

한 주 동안 배운 내용을 창의·사고력 게임으로
재미는 두배, 사고력은 UP!

말판 놀이

창의·사고력 게임

똑똑한 하루 Grammar

공부할 내용

3주

부사,
전치사

4주

여러 문장

Grammar 용어 미리 보기

 의문사

누가, 언제, 어디서, 무엇을 등에 대해
궁금한 것을 물을 때 쓰는 말에는
who, when, where, what 등이 있어요.

 현재진행형

지금 하고 있는 일을 나타낼 때는
현재진행형을 써요.

 명령문, 제안문, 감탄문

· '~해라, ~하지 마라'라고 명령할 때는
주어 없이 동사로 시작해서 말해요.
· '~하자'라고 제안할 때는 Let's로
시작해서 말해요.
· 감탄하는 말을 할 때는 What으로
시작해서 말해요.

 부사, 전치사

· 부사는 형용사, 동사 등을 꾸며 의미를
명확하게 하는 말이에요.
· 전치사는 위치, 시간 등을 나타내는 말로
명사나 대명사 앞에 쓰는 말이에요.

함께 공부할 친구들

새롬 ▶ 장난을 좋아하지만
마음이 따뜻한 친구

건우 ▶ 축구를 좋아하는
똑똑한 친구

네모 ▶ 쿠키와 친구들을 좋아하는
친절한 친구

콩 ▶ 네모의 귀엽고 똘똘한
단짝 친구

1주에는 무엇을 공부할까? ❶

🎁 재미있는 이야기로 이번 주에 공부할 내용을 알아보세요.

1주에는 무엇을 공부할까? ②

◉ 선을 따라가며 동사와 진행형을 연결해 보세요.

B

종이컵을 꾸미고 있니?

응. 눈사람을 만들고 있어.

이건 뭐야?

눈사람 팔이야. 네가 붙여 볼래?

어때?

멋지다!

◉ 여러분이 친구들에게 자주 묻는 말에 ✔표 하세요.

□ 너는 숙제를 하고 있니?

□ 그 애는 자고 있니?

□ 너희들은 학교에 가고 있니?

□ 그 애들은 청소를 하고 있니?

□ 너는 과자를 먹고 있니?

□ 그 애는 축구를 하고 있니?

점프하고 있는, 날고 있는

Jumping, Flying

🎯 **재미있는 이야기로 오늘 배울 내용을 만나 보세요.**

동사의 -ing형을 알아보자.

✹ 오늘은 무엇을 배울까요?

jump ···▶ jumping

fly ···▶ flying

일 Grammar

문법 쏙쏙

개념 읽는 QR
1

 로 익혀요

현재진행형의 〈동사＋-ing〉는 동사에 -ing를 붙이는 규칙에 따라 써야 해요.

jump ➡ **jumping**
점프하다 　　점프하고 있는

dance ➡ **dancing**
춤추다 　　춤추고 있는

run ➡ **running**
달리다 　　달리고 있는

> sit, swim은 마지막 자음을 한 번 더 쓰고
> -ing를 붙여 진행형을 만들어.

 로 익혀요 　**동사에 따라 -ing를 붙이는 방법**

동사＋-ing	sing ➡ singing	노래하다 → 노래하고 있는
e빼고＋-ing	come ➡ coming	오다 → 오고 있는
마지막 자음을 한 번 더 쓰고＋-ing	cut ➡ cutting	자르다 → 자르고 있는

▶정답 1쪽

 그림을 보고, 알맞은 진행형에 ✔표 하세요.

1.

eating ☐

2.

siting ☐

3.

washhing ☐

4.

drinking ☐

B 주어진 동사의 알맞은 진행형에 동그라미 하세요.

1.

run

runing

running

2.

dance

dancing

danceing

3.

swim

swiming

swimming

4.

make

making

makeing

실력 쏙쏙

 A 그림을 보고, 알맞은 진행형에 동그라미 하세요.

1.

watch + -ing ➡ (**watching** / watchhing)

2.

write + -ing ➡ (**writing** / writeing)

3.

sit + -ing ➡ (siting / **sitting**)

B 주어진 동사를 진행형으로 바꿔 쓰세요.

1.
walk + -ing

_____
_____

2.
read + -ing

_____
_____

3.
run + -ing

_____
_____

4.
swim + -ing

_____
_____

C 그림을 보고, 알맞은 진행형을 골라 쓰세요.

1.

jumping

making

➡ _____

2.

sleeping

washing

➡ _____

D 그림을 보고, 알맞은 말을 보기 에서 골라 진행형으로 바꿔 쓰세요.

| 보기 | eat | dance | cut |

1. _____

자르고 있는

2. _____

춤추고 있는

3. _____

먹고 있는

그들은 달리고 있다
They Are Running

🎯 **재미있는 이야기로 오늘 배울 내용을 만나 보세요.**

지금 하고 있는 일을 나타내는
<be동사＋동사＋-ing>을 알아보자.

❄ 오늘은 무엇을 배울까요?

I am reading a book.
나는 책을 읽고 있다.

They are running.
그들은 달리고 있다.

문법 쏙쏙

 과 **귀** 로 익혀요

현재진행형은 지금 하고 있는 일을 나타내는 것으로 〈be동사+-ing〉로 써요.

I am making a sandwich.
나는 샌드위치를 만들고 있다.

He is making soup.
그는 스프를 만들고 있다.

We are making dinner.
우리는 저녁 식사를 만들고 있다.

> 주어와 짝이 되는 be동사를
> 쓰는 것에 주의해야 해.

 으로 익혀요   **현재진행형: ~하고 있다**

I am studying.	나는 / 공부하고 있다.
She is playing the piano.	그녀는 / 치고 있다 / 피아노를.
They are drinking juice.	그들은 / 마시고 있다 / 주스를.

그림을 보고, 알맞은 현재진행형 문장에 ✔표 하세요.

1.

I running. ☐

2.

He is swimming. ☐

3.

She are dancing. ☐

4.

They are cooking. ☐

B 단어를 읽고, 알맞은 말에 동그라미 하세요.

1.

I

is reading.

am reading.

2.

He

is eating.

are eating.

3.

She

is jumping.

am jumping.

4.

They

is walking.

are walking.

실력 쏙쏙

A 그림을 보고, 알맞은 말에 동그라미 하세요.

1.

I am (make / making) salad.

나는 샐러드를 만들고 있다.

2.

She (is / are) eating lunch.

그녀는 점심을 먹고 있다.

3.

He (playing is / is playing) soccer.

그는 축구를 하고 있다.

B 밑줄 친 부분을 바르게 고쳐 문장을 완성하세요.

1.

They <u>is clean</u> the room.

그들은 방을 청소하고 있다.

➡ **They** _____ **the room.**

2.

He <u>are write</u> a card.

그는 카드를 쓰고 있다.

➡ **He** _____ **a card.**

C 주어진 단어와 be동사를 이용하여 문장을 완성하세요.

1.

swimming

They _____ .

그들은 수영을 하고 있다.

2.

reading

We _____ books.

우리는 책을 읽고 있다.

3.

jumping

She _____ .

그녀는 점프하고 있다.

D 그림을 보고, 알맞은 말을 보기에서 골라 be동사를 이용하여 문장을 완성하세요.

보기   watching   singing   playing

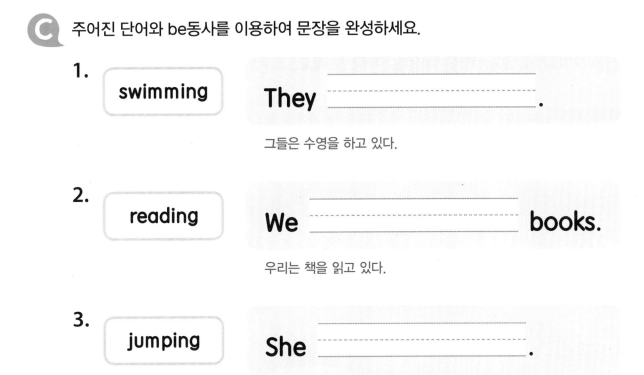

1. I [ ] TV.

나는 TV를 보고 있다.

2. He [ ] the guitar.

그는 기타를 치고 있다.

3. She [ ] .

그녀는 노래하고 있다.

너는 책을 읽고 있지 않다

You Are Not Reading a Book

🎯 **재미있는 이야기로 오늘 배울 내용을 만나 보세요.**

<be동사+not+동사+-ing>로 쓰는
현재진행형의 부정문을 알아보자.

❄ 오늘은 무엇을 배울까요?

I am not sleeping.
나는 자고 있지 않다.

You are not swimming.
너는 수영하고 있지 않다.

문법 쏙쏙

개념 읽는 QR
3

 과 귀로 익혀요

'하고 있지 않다'라는 현재진행형의 부정은 <be동사 + not + -ing>로 써요.

I am not studying.
나는 공부하고 있지 않다.

He is not sleeping.
그는 자고 있지 않다.

We are not playing soccer.
우리는 축구를 하고 있지 않다.

is not은 isn't, are not은 aren't로 줄여 쓸 수 있어.

 으로 익혀요 현재진행형의 부정문: ~하고 있지 않다

She is not eating ice cream.
그녀는 / 먹고 있지 않다 / 아이스크림을.

They are not making a cake.
그들은 / 만들고 있지 않다 / 케이크를.

▶정답 3쪽

A 그림을 보고, not이 들어갈 알맞은 위치에 ✔표 하세요.

1.

I 　①　 am 　②　 swimming.

나는 수영을 하고 있지 않다.

2.

He 　①　 is 　②　 running.

그는 달리고 있지 않다.

3.

They are 　①　 singing 　②　 .

그들은 노래하고 있지 않다.

B 그림을 보고, 문장과 일치하면 T, 아니면 F를 쓰세요.

1.

She is not jumping. ☐

그녀는 점프하고 있지 않다.

2.

I am not watching TV.

나는 TV를 보고 있지 않다.

실력 쏙쏙

 그림을 보고, 알맞은 말에 동그라미 하세요.

1.

   I am (cleaning / not cleaning) the house.

   나는 집안 청소를 하고 있지 않다.

2.

   He is (not crying / crying not).

   그는 울고 있지 않다.

3.

   They (is not / are not) playing soccer.

   그들은 축구를 하고 있지 않다.

B 주어진 단어를 바르게 배열하여 문장을 쓰세요.

1. | not | are | studying English | you |

   ➡ _____

   너는 영어를 공부하고 있지 않다.

2. | not | she | playing the piano | is |

   ➡ _____

   그녀는 피아노를 치고 있지 않다.

C 주어진 말과 〈be동사＋not〉을 이용하여 문장을 완성하세요.

1.
washing

I _____ my hands.

나는 나의 손을 씻고 있지 않다.

2.
swimming

We _____ .

우리는 수영하고 있지 않다.

3.
making

She _____ soup.

그녀는 수프를 만들고 있지 않다.

D 그림을 보고, 알맞은 말을 보기에서 골라 be동사와 not을 이용하여 문장을 완성하세요.

보기   drinking   reading   cooking

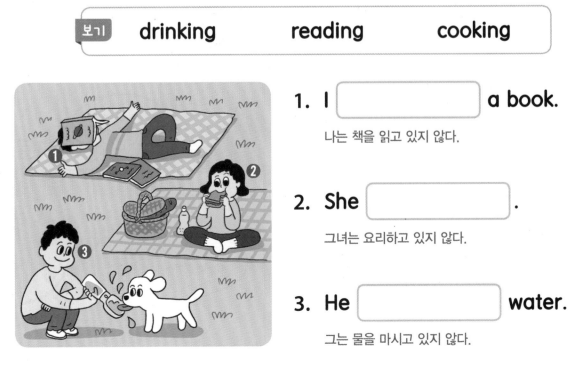

1. I _____ a book.

나는 책을 읽고 있지 않다.

2. She _____ .

그녀는 요리하고 있지 않다.

3. He _____ water.

그는 물을 마시고 있지 않다.

너는 쿠키를 먹고 있니?

Are You Eating a Cookie?

🎯 재미있는 이야기로 오늘 배울 내용을 만나 보세요.

네모야, 그럼 내가 다시 물어볼게.
Are you eating a cookie?

Y... Yes, I am.
하지만 이제 그만 먹고
양치하러 갈게.

네모가 이를 닦고 있나?
Is he brushing his teeth?

No, he isn't.

이를 안 닦고 있어.

네모야, 그러다
충치가 생기고 말 거야.

<be동사＋주어＋동사＋-ing ~?>로
쓰는 현재진행형의 의문문을 알아보자.

❄ 오늘은 무엇을 배울까요?

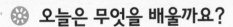

Are you eating a cookie?
너는 쿠키를 먹고 있니?

Is he brushing his teeth?
그는 이를 닦고 있니?

문법 쏙쏙

개념 읽는 QR

4

눈 과 귀 로 익혀요

현재진행형의 의문문은 주어와 **be**동사의 자리를 바꿔 써요.

Is he watching TV?
그는 TV를 보고 있니?

- Yes, he is.
응, 그래.

Are you eating lunch?
너는 점심을 먹고 있니?

- No, I'm not.
아니, 그렇지 않아.

<be동사+주어+동사+-ing ~?>로
지금 하고 있는 일을 물으면 돼.

손 으로 익혀요   현재진행형의 의문문: ~하고 있니?

Is she coming here?
그녀는 오고 있니 / 여기로?

Yes, she is.
응, / 그래.

No, she isn't.
아니, / 그렇지 않아.

A 그림을 보고, 알맞은 말에 ✔표 하세요.

1.

☐ Do   ☐ Are   you cooking?

너는 요리를 하고 있니?

2.

☐ Is   ☐ Are   she crying?

그녀는 울고 있니?

3.

Are they   ☐ sing   ☐ singing   ?

그들은 노래를 하고 있니?

B 다음을 읽고, 알맞은 말에 동그라미 하세요.

1.
Is you
Are you
running?

2.
Is he
Are he
sleeping?

3.
Is she
Does she
walking?

4.
Am they
Are they
flying?

실력 쏙쏙

 그림을 보고, 알맞은 말에 동그라미 하세요.

1.

   (Does / Is) she drinking juice?

   그녀는 주스를 마시고 있니?

2.

   (Is / Are) you reading a book?

   너는 책을 읽고 있니?

3.

   Is (making he / he making) pizza?

   그는 피자를 만들고 있니?

B 그림을 보고, 주어진 단어와 be동사를 이용하여 대화를 완성하세요.

1.
   ride

   A **Is she _____ a bike?**
   그녀는 자전거를 타고 있니?

   B **Yes, she _____ .**
   응, 그래.

2.
   play

   A **Are they _____ soccer?**
   그들은 축구를 하고 있니?

   B **No, they _____ .**
   아니, 그렇지 않아.

C 주어진 단어와 be동사를 이용하여 문장을 완성하세요.

1. writing

_____ he _____ a card?

그는 카드를 쓰고 있니?

2. running

_____ they _____?

그들은 달리고 있니?

3. coming

_____ she _____ here?

그녀는 여기로 오고 있니?

D 그림을 보고, 알맞은 말을 보기 에서 골라 be동사를 이용하여 문장을 완성하세요.

보기　eating　　sleeping　　studying

1. [_____] he [_____]?

그는 공부하고 있니?

2. [_____] she [_____]?

그녀는 자고 있니?

3. [_____] they [_____] cookies?

그들은 쿠키를 먹고 있니?

1주 복습

🎯 재미있는 이야기로 한 주 동안 배운 내용을 복습해 보세요.

1일

2일

3일

4일

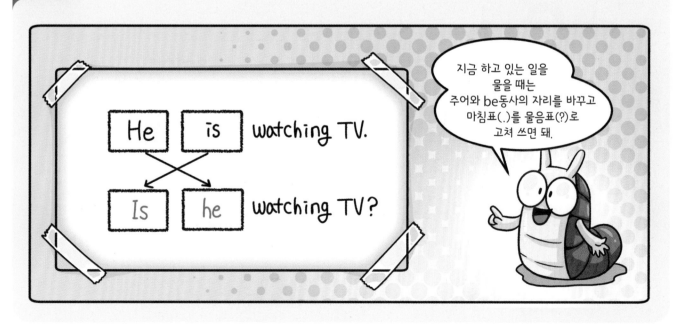

A 단어를 읽고, 알맞은 진행형을 쓰세요.

1. run _____

2. dance _____

3. jump _____

4. write _____

B 그림을 보고, 주어진 동사와 be동사를 이용하여 문장을 완성하세요.

1. make

He _____ salad.

그는 샐러드를 만들고 있다.

2. play

They _____ basketball.

그들은 농구를 하고 있다.

C 주어진 말을 바르게 배열하여 문장을 쓰세요.

1.

| not | am | I | watching TV |

➡ ---

나는 TV를 보고 있지 않다.

2.

| not | is | brushing her teeth | She |

➡ ---

그녀는 이를 닦고 있지 않다.

D 다음 문장을 의문문으로 고쳐 문장을 다시 쓰세요.

1.

You are swimming. 너는 수영을 하고 있다.

➡ ---

너는 수영을 하고 있니?

2.

They are eating cake. 그들은 케이크를 먹고 있다.

➡ ---

그들은 케이크를 먹고 있니?

3.

She is reading a book. 그녀는 책을 읽고 있다.

➡ ---

그녀는 책을 읽고 있니?

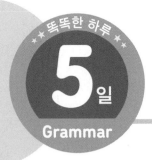
쏙쏙 정리 ②

A 꿀벌이 벌집을 찾고 있어요. 다음 우리말에 해당하는 영어 단어를 순서대로 따라가며 미로를 빠져나가 벌집까지 가는 길을 알려 주세요.

> 달리고 있는 ➡ 만들고 있는 ➡ 공부하고 있는 ➡ 노래하고 있는
> ➡ 춤추고 있는 ➡ 수영하고 있는 ➡ 보고 있는 ➡ 자르고 있는

running	making	studying	coming
writing	eating	singing	jumping
flying	crying	dancing	reading
sitting	drinking	swimming	watching
sleeping	playing	washing	cutting

▶정답 5쪽

B 밑줄 친 동사의 알맞은 형태를 퍼즐판에서 찾아 쓰세요.

1. I am <u>come</u>. ➡ I am [   ] .

2. They are <u>swim</u>. ➡ They are [   ] .

3. He is <u>play</u> soccer. ➡ He is [   ] soccer.

4. She is <u>make</u> dinner. ➡ She is [   ] dinner.

p	l	i	k	e	s	g	g
l	t	m	a	k	i	n	g
a	j	c	o	h	i	i	c
y	y	o	f	m	z	y	f
i	k	m	m	i	n	e	d
n	y	i	s	k	e	l	o
g	w	n	b	a	a	s	k
s	z	g	e	n	a	k	e

1 그림에 알맞은 진행형에 동그라미 하세요.

(1)

(walking / swimming)

(2)

(making / eating)

[2~3] 그림을 보고, 빈칸에 알맞은 말을 고르세요.

2

He _____ soccer.

① play   ② is play

③ is playing   ④ are playing

3

They _____.

① runs   ② running

③ is running   ④ are running

4 주어진 문장을 부정문으로 바르게 바꾼 것을 고르세요.

He is making salad.

① He not making salad.

② He not is making salad.

③ He is not making salad.

④ He are not making salad.

5 우리말 뜻에 맞게 바르게 고친 것을 고르세요.

> He is watching TV.
> 그는 TV를 보고 있지 않다.

① does

② does not

③ is not

④ are not

6 그림을 보고, 빈칸에 알맞은 말을 고르세요.

> A _____
> B Yes, I am.

① Am I cooking?

② Is he cooking?

③ Are you cooking?

④ Are they cooking?

7 그림을 보고, 대화의 빈칸에 알맞은 말이 바르게 짝 지어진 것을 고르세요.

> A Is _____ crying?
> B No, he _____.

① he – is

② he – isn't

③ she – isn't

④ they – are

8 그림을 보고, 빈칸에 알맞은 말을 써서 대화를 완성하세요.

> A Are they playing basketball?
> B Yes, _____.

🧩 배운 내용을 떠올리며 말판 놀이를 해 보세요.

START

1. 동사와 알맞은 진행형을 연결하세요.

go · · running

run · · going

2. 그림에 알맞은 말을 고르세요.

(running / swimming)

3. 우리말 뜻과 일치하도록 알맞은 말을 고르세요.

그들은 걷고 있다.
They are (walk / walking).

4. 그림과 일치하면 ○, 일치하지 않으면 ×표를 하세요.

He is studying. ☐

5. 질문을 읽고, 알맞은 대답을 골라 ✓표 하세요.

Is she sleeping?

☐ Yes, she is.
☐ No, she isn't.

1
주

8. 문장을 질문으로 바꿀 때 빈칸에 알맞은 말을 쓰세요.

He is drinking juice.

➡ _____ juice?

9. 대화의 빈칸에 알맞은 말을 쓰세요.

A _____ you watching TV?
너는 TV를 보고 있니?

B _____, I am.
응, 그래.

7. 문장에서 not이 들어갈 위치에 ✓표를 하세요.

She is reading a book.

10. 우리말 뜻에 맞게 단어를 바르게 배열하여 문장을 쓰세요.

나는 노래하고 있지 않다.

➡ _____
(not / I / singing / am)

6. 밑줄 친 부분을 바르게 고쳐 쓰세요.

We is making pizza.

➡ _____

A 미로를 통과하며 만나는 단어를 배열하여 문장을 써 보세요.

1.

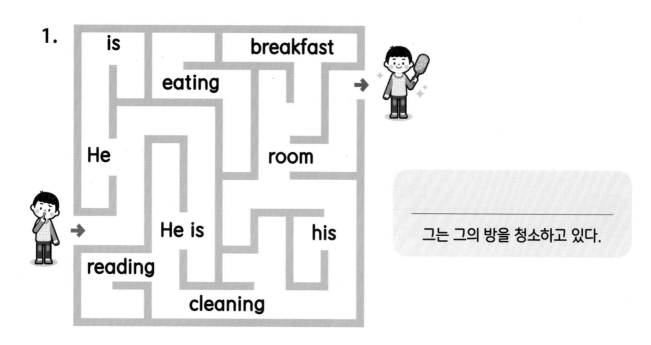

_____

그는 그의 방을 청소하고 있다.

2.

_____

그녀는 피아노를 치고 있다.

정답 7쪽

B 다음 노트에 쓰인 문장이 맞으면 T, 틀리면 F를 고른 후, 획득한 단어를 모아 문장을 만들어 보세요.

1

He is play with a cat.
그는 고양이와 놀고 있다.

2

He is not eating lunch.
그는 점심을 먹고 있지 않다.

3

Does he is dancing?
그는 춤추고 있니?

4

He is watching TV.
그는 TV를 보고 있다.

	T	F
1	They	He
2	is	are
3	X	not
4	eating	jumping

1	2	3	4

Step A 다음 중 알맞은 알파벳을 골라 단어를 완성하세요.

1.
s ⬚ im

수영하다

2.
w ⬚ l ⬚

걷다

3.
⬚ ⬚ a ⬚

읽다

 Step B **Step A** 의 단어를 이용하여 문장을 완성하세요.

1. She is _____ .

그녀는 수영을 하고 있다.

2. He is _____ .

그는 걷고 있다.

3. They are _____ books.

그들은 책을 읽고 있다.

1주

Step C

다음 힌트 와 같이 거울에 비친 단어를 바르게 써서 문장을 완성하세요.

힌트

sitting → sitting

1.

I am _____ TV.

나는 TV를 보고 있다.

2.

We are _____ .

우리는 춤추고 있다.

3.

He is _____ .

그는 자고 있다.

4.

They are _____ soccer.

그들은 축구를 하고 있다.

2주에는 무엇을 공부할까? ①

재미있는 이야기로 이번 주에 공부할 내용을 알아보세요.

의문사

A

◉ 다음 질문에 어울리는 답을 연결해 보세요.

선생님

컵

여동생

Who
누구?

곰인형

What
무엇?

상자

아빠

답 ▶ Who(누구) – 선생님, 여동생, 아빠 / What(무엇) – 컵, 곰인형, 상자

B

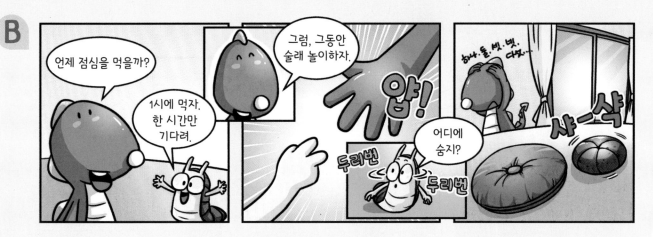

2
주

◉ 다음 밑줄 친 말이 나타내는 알맞은 의문사에 ✔표 하세요.

파티는 <u>내일</u>이야.

☐ **When**
언제

☐ **Where**
어디에

우리는 <u>학교에</u> 있어.

☐ **When**
언제

☐ **Where**
어디에

인형은 <u>방에</u> 있다.

☐ **When**
언제

☐ **Where**
어디에

수업은 <u>9시에</u> 시작해.

☐ **When**
언제

☐ **Where**
어디에

그녀는 누구니?
Who Is She?

🎯 재미있는 이야기로 오늘 배울 내용을 만나 보세요.

누구인지, 무엇인지
묻는 표현을 알아보자.

🌸 오늘은 무엇을 배울까요?

Who is he?

그는 누구니?

What is it?

그것은 무엇이니?

문법 쏙쏙

누구인지 물을 때는 **Who**를, 무엇인지 물을 때는 **What**을 써요.

Who is she?
그녀는 누구니?

- She is my sister.
그녀는 내 여동생이다.

What is it?
그것은 무엇이니?

- It is a duck.
그것은 오리이다.

사람은 Who, 동물과 사물은 What으로 질문해.

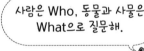 누구, 무엇인지 묻기: Who / What

Who is he?
누구 / 이니 / 그는?

- He is my dad.
그는 / 이다 / 나의 아빠.

What are they?
무엇 / 이니 / 그것들은?

- They are eggs.
그것들은 / 이다 / 달걀들.

A 밑줄 친 부분에 알맞은 우리말 뜻에 ✔표 하세요.

1.

What are they?

누구

무엇

2.

Who is she?

누구

무엇

3.

What is it?

누구

무엇

B 대화를 읽고, 알맞은 말에 동그라미 하세요.

1.

A (Who / What) is he? 그는 누구니?

B He is my brother. 그는 내 남동생이다.

2.

A (Who / What) are they? 그것들은 무엇이니?

B They are apples. 그것들은 사과들이다.

실력 쏙쏙

 그림을 보고, 알맞은 말에 동그라미 하세요.

1.

   A (Who / What) are they?
   그것들은 무엇이니?

   B They are carrots.
   그것들은 당근이다.

2.

   A Who are they?
   그들은 누구니?

   B They are my (sisters / dogs).
   그들은 내 여동생들이다.

B 그림을 보고, 알맞은 말을 골라 문장을 완성하세요.

1.

   Who

   What

   _____ is this?

   이것은 무엇이니?

2.

   Who

   What

   _____ is she?

   그녀는 누구니?

▶정답 8쪽

C 주어진 말을 바르게 배열하여 문장을 쓰세요.

1.

| you | are | Who | ? |

➡ _____

너는 누구니?

2.

| are | ? | What | they |

➡ _____

그것들은 무엇이니?

D 그림을 보고, 알맞은 말을 보기 에서 골라 대화를 완성하세요.

보기   **Who**   **What**

1. A [   ] **is she?**

   그녀는 누구니?

   B **She is my mom.**

   그녀는 나의 엄마이다.

2. A [   ] **are they?**

   그것들은 무엇이니?

   B **They are gifts.**

   그것들은 선물들이다.

그것은 어디에 있니?

Where Is It?

🎯 **재미있는 이야기로 오늘 배울 내용을 만나 보세요.**

장소나 위치 그리고 날짜를
묻는 말을 알아보자.

❄ 오늘은 무엇을 배울까요?

Where is it?
그것은 어디에 있니?

When is Christmas?
크리스마스는 언제이니?

문법 쏙쏙

 눈과 귀로 익혀요

When은 언제인지를, Where는 어디인지를 물을 때 써요.

When is your birthday?
네 생일은 언제이니?

– It is May 5.
5월 5일이야.

Where is your bag?
네 가방은 어디에 있니?

– It is on the chair.
그것은 의자 위에 있어.

> 날짜는 When, 장소나 위치는 Where를 써서 물으면 돼.

 손으로 익혀요 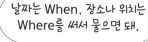 언제, 어디인지 묻기: When / Where

When is the party?
언제 / 이니 / 파티는?

– Tomorrow.
내일이야.

Where are the books?
어디에 / 있니 / 책들이?

– They are on the desk.
그것들은 / 있어 / 책상 위에.

A 밑줄 친 부분에 알맞은 우리말 뜻에 ✓표 하세요.

1.

<u>Where</u> is it?

언제

어디에

2.

<u>When</u> is Christmas?

언제

어디에

3.

<u>Where</u> is the rabbit?

언제

어디에

B 다음을 읽고, 알맞은 말에 동그라미 하세요.

1.

When

Where

is the cat?

2.

When

Where

is the test?

3.

When

Where

is Chuseok?

4.

When

Where

is his house?

실력 쏙쏙

A 그림을 보고, 알맞은 우리말 뜻에 동그라미 하세요.

1.

   Where is the cat?
   고양이는 (언제 / 어디에) 있니?

2.

   When is Halloween?
   할로윈은 (언제 / 어디에) 이니?

3.

   Where is the book?
   그 책은 (언제 / 어디에) 있니?

B 대화를 읽고, 알맞은 말을 골라 대화를 완성하세요.

1.
   What

   Where

   A _____ **is he?** 그는 어디에 있니?

   B **He is in his room.** 그는 그의 방에 있어.

2.
   When

   Where

   A _____ **is Chuseok?** 추석은 언제이니?

   B **It is October 7.** 10월 7일이야.

C 주어진 말을 바르게 배열하여 문장을 쓰세요.

1.

| is | your dog | ? | Where |

➡ _____

_____

네 개는 어디에 있니?

2.

| the test | is | ? | When |

➡ _____

_____

시험은 언제이니?

D 그림을 보고, 알맞은 말을 보기 에서 골라 대화를 완성하세요.

보기　　　　When　　　　Where

1. A [　　　　] is your birthday?

네 생일은 언제이니?

B **It is May 7.**

5월 7일이야.

2. A [　　　　] is my pen?

내 펜은 어디에 있지?

B **It is in the cup.**

그것은 컵 안에 있어.

똑똑한 하루

3일
Grammar

사과가 몇 개니?

How Many Apples?

🎯 재미있는 이야기로 오늘 배울 내용을 만나 보세요.

2주

우리가 갖고 있는 3만원을 넘지 않았네.

개수와 가격을 묻는 말을 알아보자.

☀ 오늘은 무엇을 배울까요?

How many **eggs?**
달걀은 몇 개니?

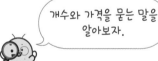 3,000원

How much **are they?**
그것들은 얼마니?

문법 쏙쏙

 과 귀로 익혀요

개수를 물을 때는 **How many**, 가격을 물을 때는 **How much**를 써서 표현해요.

How many apples?
- Three apples.

사과는 몇 개니?

세 개야.

How much are they?
- They are 3,000 won.

그것들은 얼마니?

3,000원이야.

개수는 How many,
가격은 How much로 물어보면 돼.

손으로 익혀요 개수와 가격 묻기: How many / How much

How many cars?   몇 대니 / 자동차들이?

How much is it?   얼마니 / 그것은?

▶정답 10쪽

 그림을 보고, 알맞은 단어에 동그라미 하세요.

1.

How (many / much) toys?

장난감이 몇 개니?

2.

2,000원

How (many / much) is it?

그것은 얼마니?

3.

How (many / much) cups?

컵이 몇 개니?

 문장을 읽고, 알맞은 우리말 뜻에 ✔표 하세요.

1.

How many books?

- 책은 얼마니?
- 책이 몇 권이니?

2.

How much is it?

- 그것은 얼마니?
- 그것은 얼마나 많니?

실력 쏙쏙

 우리말 뜻에 알맞은 질문에 ✔표 하세요.

1.

사과는 몇 개니?

- [ ] How much is it?
- [ ] How many apples?

2.

5,000원

그것은 얼마니?

- [ ] How much is it?
- [ ] How much are they?

3.

아이들은 몇 명이니?

- [ ] How many kids?
- [ ] How many balloons?

 밑줄 친 부분을 바르게 고쳐 문장을 완성하세요.

1.

1,000원

How many is it?

그것은 얼마니?

➡ _____ is it?

2.

How much eggs?

달걀이 몇 개니?

➡ _____ eggs?

C 주어진 말을 바르게 배열하여 문장을 쓰세요.

1.

candies	many	?	How

➡ _____

_____

사탕이 몇 개니?

2.

is	much	it	?	How

➡ _____

_____

그것은 얼마니?

D 그림을 보고, 알맞은 말을 보기에서 골라 대화를 완성하세요.

보기	How many	How much

1. A [ ] burgers?

버거는 몇 개인가요?

B **Two burgers.**

두 개요.

2. A [ ] are they?

그것들은 얼마인가요?

B **They are 6,000 won.**

그것들은 6천 원이에요.

무슨 요일이니?

What Day **Is It?**

🎯 **재미있는 이야기로 오늘 배울 내용을 만나 보세요.**

2주

요일과 시간을 묻는 표현을 알아보자.

✻ 오늘은 무엇을 배울까요?

What day **is it?**
무슨 요일이니?

What time **is it?**
몇 시니?

문법 쏙쏙

개념 읽는 QR

8

 눈 과 귀 로 익혀요

요일을 물을 때는 **What day**, 시간을 물을 때는 **What time**을 써서 표현해요.

What day is it?
무슨 요일이니?

– It is Monday.
월요일이야.

What time is it?
몇 시니?

– It is 3:20.
3시 20분이야.

> 요일과 시간을 물을 때
> 쓰는 말을 기억해.

 손으로 익혀요   요일과 시간 묻기: What day / What time

요일	**What day is it?** 무슨 요일 / 이니?	**– It is Tuesday.** 이다 / 화요일.
시간	**What time is it?** 몇 시 / 이니?	**– It is 12.** 이다 / 12시.

▶ 정답 11쪽

 그림을 보고, 알맞은 말에 ✔표 하세요.

1.

What ☐ day ☐ time **is it?**

몇 시니?

2.

What ☐ day ☐ time **is it?**

무슨 요일이니?

3.

☐ How ☐ What **time is it?**

몇 시니?

B 대화를 읽고, 알맞은 말에 동그라미 하세요.

1.

> A (What day / What time) is it?   무슨 요일이니?
>
> B It is Sunday.   일요일이야.

2.

> A (What day / What time) is it?   몇 시니?
>
> B It is 6:30.   6시 30분이야.

 다음을 읽고, 알맞은 우리말 뜻과 연결하세요.

무슨 요일이니?

1. What time is it?

가격이 얼마니?

2. What day is it?

몇 시니?

B 그림을 보고, 알맞은 말에 동그라미 하세요.

1.

A **What day is it?** 무슨 요일이니?

B **It is (10 : 00 / Tuesday).** 화요일이야.

2.

A **What time is it?** 몇 시니?

B **It is (9 : 00 / Friday).** 9시야.

3. THURSDAY THU

A **What (day / time) is it?** 무슨 요일이니?

B **It is Thursday.** 목요일이야.

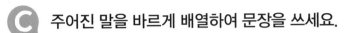

C 주어진 말을 바르게 배열하여 문장을 쓰세요.

1.

| is | ? | What | it | day |

➡ _____

무슨 요일이니?

2.

| it | What | is | time | ? |

➡ _____

몇 시니?

D 그림을 보고, 알맞은 말을 보기 에서 골라 대화를 완성하세요.

보기   **What time**   **What day**

1. A [   ] **is it?**

     무슨 요일이니?

   B **It is Sunday.**

     일요일이야.

2. A [   ] **is it?**

     몇 시니?

   B **It is 12:40.**

     12시 40분이야.

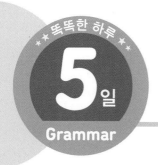

2주 복습

🎯 재미있는 이야기로 한 주 동안 배운 내용을 복습해 보세요.

1일

2일

3일

4일

쏙쏙 정리 ①

A 알맞은 말을 골라 우리말 뜻과 일치하도록 문장을 완성하세요.

1.
   ☐ Who
   ☐ What

   _____ is he?
   그는 누구니?

2.
   ☐ When
   ☐ Where

   _____ is my book?
   내 책은 어디에 있지?

3.
   ☐ How many
   ☐ How much

   _____ is it?
   그것은 얼마니?

B 그림을 보고, 보기에서 알맞은 말을 골라 문장을 완성하세요.

> 보기   What day   What time

1. SUNDAY 5

   _____ is it?
   무슨 요일이니?

2.

   _____ is it?
   몇 시니?

C 주어진 말을 배열하여 우리말 뜻과 일치하도록 문장을 완성하세요.

1.

| cat | is | Where | ? | your |

➡ _____

네 고양이는 어디에 있니?

2.

| apples | many | ? | How |

➡ _____

사과는 몇 개니?

D 밑줄 친 부분을 바르게 고쳐 문장을 다시 쓰세요.

1.

<u>Where</u> is your birthday?　네 생일은 언제이니?

➡ _____

2.

<u>What</u> is she?　그녀는 누구니?

➡ _____

3.

<u>How</u> day is it?　무슨 요일이니?

➡ _____

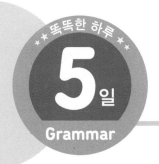

A 그림과 힌트를 보고 퍼즐을 완성하세요.

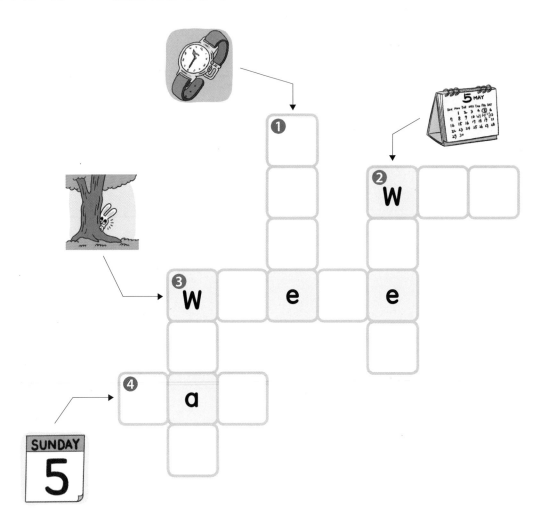

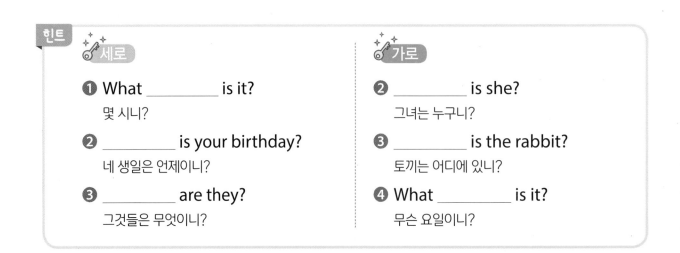

▶정답 12쪽

B 빈칸에 알맞은 말을 퍼즐판에서 찾아 쓰세요.

1. [   ] is his bag?

그의 가방은 어디에 있니?

2. [   ] is the test?

시험은 언제이니?

3. How [   ] is it?

그것은 얼마니?

4. [   ] day is it?

무슨 요일이니?

5. How [   ] tomatoes?

토마토가 몇 개니?

e	W	h	e	r	e	h	e
h	t	d	g	w	h	a	c
u	o	x	e	a	s	w	e
W	h	e	n	t	l	m	m
h	e	p	m	c	g	u	d
a	h	a	s	a	s	c	o
t	w	h	i	e	n	h	k
s	g	o	e	s	n	y	c

1 그림을 보고, 빈칸에 알맞은 단어를 고르세요.

_____ are they?

① Who ② What

③ When ④ How

2 그림을 보고, 질문에 알맞은 대답을 고르세요.

A Who is she?

B _____

① It is my dog.

② He is my dad.

③ She is my sister.

④ They are dogs.

[3~4] 다음 대답에 대한 질문으로 알맞은 것을 고르세요.

3

It is May 5.

① Who is he?

② What is it?

③ Where is your book?

④ When is your birthday?

4

It is under the chair.

① Who is he?

② What are they?

③ Where is your dog?

④ When is Christmas?

5 우리말에 맞게 밑줄 친 부분을 바르게 고친 것을 고르세요.

> <u>How many</u> are they?
> 그것들은 얼마니?

① Where

② What day

③ What time

④ How much

6 그림을 보고, 빈칸에 들어갈 말로 알맞은 것을 고르세요.

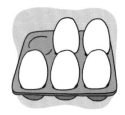

> A _____
> B Five.

① How many eggs?

② How much is it?

③ What time is it?

④ What day is it?

7 그림을 보고, 빈칸에 알맞은 말이 바르게 짝 지어진 것을 고르세요.

> A _____ is it?
> B It is _____.

① What time – 2:20

② What time – 3:20

③ What day – Friday

④ What day – Wednesday

8 그림을 보고, 빈칸에 알맞은 말을 써서 대화를 완성하세요.

> A _____ is it?
> B It is Sunday.

📋 배운 내용을 떠올리며 말판 놀이를 해 보세요.

5. 그림과 일치하면 ○, 일치하지 않으면 ✕표를 하세요.

A What time is it?
B It is 10:30.

4. 질문을 읽고, 대답으로 알맞은 그림에 동그라미 하세요.

Where is your book?

SUNDAY
5

3. 빈칸에 알맞은 말을 쓰세요.

A _____ is he?
B He is my dad.

2. 그림에 알맞은 말을 고르세요.

(Who / What) is it?

1. 단어와 알맞은 우리말을 연결하세요.

Who · · 누구

What · · 무엇

START

6. 질문을 읽고, 알맞은 대답을 골라 ✓표 하세요.

What day is it?

THURSDAY
THU

☐ It is 2:10.
☐ It is Thursday.

7. 우리말 뜻과 일치하도록 알맞은 말을 고르세요.

How (much / many) is it?
그것은 얼마니?

8. 밑줄 친 부분을 바르게 고쳐 쓰세요.

How apples?
사과가 몇 개니?

➡ _____

10. 우리말 뜻에 맞게 단어를 바르게 배열하여 문장을 쓰세요.

무슨 요일이니?
➡ _____
(is / What / it / day)

9. 대화의 빈칸에 알맞은 말을 쓰세요.

A _____ is my cap?
내 모자는 어디에 있지?
B It is on the chair.
그것은 의자 위에 있어.

A 알파벳이 유리구슬을 통과하면 어떤 규칙에 의해 바뀌게 돼요. 단서 를 보고 규칙을 찾아 단어를 쓴 후, 유리구슬 화면에 우리말 뜻을 쓰세요.

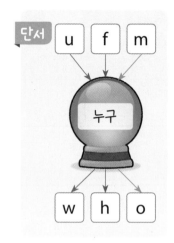

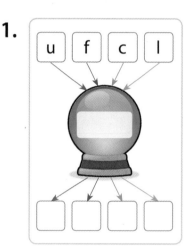

1.

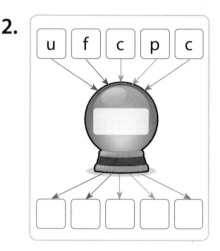

2.

B 강아지가 메모지를 밟아 문장의 일부가 지워졌어요. 지워진 부분에 알맞은 단어를 보기 에서 골라 문장을 완성해 보세요.

보기   **What   When   Where**

1. 🐾 🐾 **is it?**
   그것은 어디에 있어요?

2. 🐾 🐾 **is your birthday?**
   네 생일은 언제이니?

1. [   ]   2. [   ]

화살표 방향대로 표의 칸을 따라가면 문장이 만들어져요. 힌트 를 참고하여 문장을 만들어 보세요.

힌트

출발	your	mirror
is	What	?
What	it	dog

What is it?

How	출발	the
many	flog	sister
this	toys	?

it	?	출발
is	on	How
in	much	hat

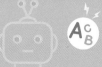
Step A 다음 중 알맞은 알파벳을 골라 단어를 완성하세요.

1. w ☐ er ☐
   어디에

2. wh ☐ ☐
   무엇

3. ☐ he ☐
   언제

Step B **Step A** 에서 완성된 단어를 써서 문장을 완성하세요.

1. _____ is the dog?

   그 개는 어디에 있니?

2. _____ are they?

   그것들은 무엇이니?

3. _____ is Halloween?

   할로윈은 언제이니?

정답 14쪽

Step C 다음 힌트 와 같이 거울에 비친 단어를 바르게 써서 문장을 쓰세요.

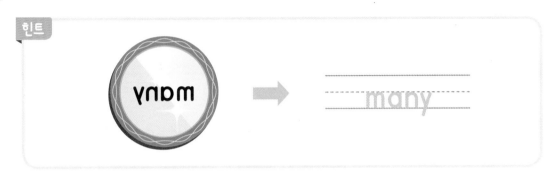

힌트

1.
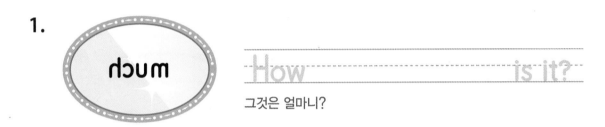

How _____ is it?

그것은 얼마니?

2.
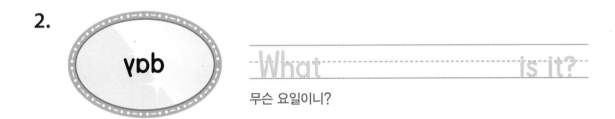

What _____ is it?

무슨 요일이니?

3.
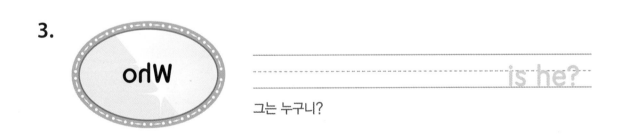

_____ is he?

그는 누구니?

4.

What _____ is it?

몇 시니?

3주

3주에는 무엇을 공부할까? ❶

📦 재미있는 이야기로 이번 주에 공부할 내용을 알아보세요.

부사, 전치사

3주차 공부할 내용

1일 ~ 4일 부사, 전치사 공부 5일 3주 복습

◉ 여러분은 동작을 어떻게 하는지 연결해 보세요.

빠르게 •

느리게 •

높이 •

행복하게 •

• 자전거를 타다

• 달리다

• 줄넘기하다

• 걷다

• 놀다

B

◉ 사과, 강아지, 새가 어디에 있는지 연결해 보세요.

책상 아래에	상자 위에	바구니 안에
under the desk	on the box	in the basket

그녀는 슬프게 운다
She Cries Sadly

🎯 **재미있는 이야기로 오늘 배울 내용을 만나 보세요.**

문장을 의미를 명확하게 하는 부사에 대해 알아보자.

✿ 오늘은 무엇을 배울까요?

She cries sadly.

그녀는 슬프게 운다.

They smile happily.

그들은 행복하게 미소 짓는다.

문법 쏙쏙

개념 읽는 QR
9

부사는 보통 **-ly**의 모양으로, 동사 등을 꾸며 문장의 의미를 명확하게 해요.

She walks slowly.
그녀는 느리게 걷는다.

They smile happily.
그들은 행복하게 미소 짓는다.

> 부사는 '느리게', '행복하게'처럼
> 문장의 의미를 명확하게 해.

손으로 익혀요 형용사+-ly: 부사

형용사+-ly	**slow** - slowly	**kind** - kindly
	느린　　느리게	친절한　　친절하게
형용사+-ily (자음+y)	**busy** - busily	**easy** - easily
	바쁜　　바쁘게	쉬운　　쉽게

A 단어를 읽고, 알맞은 부사의 모양에 ✔표 하세요.

1.
busy
☐ busyly
☐ busily

2.
kind
☐ kindly
☐ kindily

3.
quick
☐ quickly
☐ quickily

4.
easy
☐ easyly
☐ easily

3
주

 B 다음 문장에서 부사를 찾아 동그라미 하세요.

1.

She talks loudly.

2.

He cries sadly.

3.

They move slowly.

4.

We sing happily.

실력 쏙쏙

A 그림을 보고, 알맞은 말에 ✔표 하세요.

1.

She cries ☐ sad ☐ sadly .

그녀는 슬프게 운다.

2.

They move ☐ quick ☐ quickly .

그들은 빠르게 움직인다.

3.

He speaks ☐ quiet ☐ quietly .

그는 조용하게 말한다.

B 그림을 보고, 알맞은 말을 골라 문장을 완성하세요.

1.

happy

happily

She dances _____.

그녀는 행복하게 춤춘다.

2.

slow

slowly

They move _____.

그것들은 천천히 움직인다.

C 주어진 말을 알맞은 형태로 바꿔 쓰세요.

1.
easy

They make pizza _____ .

그들은 쉽게 피자를 만든다.

2.
strong

He pushes a chair _____ .

그는 강하게 의자를 민다.

3.
busy

She moves _____ .

그녀는 바쁘게 움직인다.

D 그림을 보고, 알맞은 말을 보기 에서 골라 문장을 완성하세요.

보기   loudly   sadly   happily

1. He smiles _____ .

   그는 행복하게 미소 짓는다.

2. She speaks _____ .

   그녀는 크게 말한다.

3. He cries _____ .

   그는 슬프게 운다.

너는 빨리 달린다
You Run Fast

🎯 **재미있는 이야기로 오늘 배울 내용을 만나 보세요.**

형용사와 모양이 같은 부사를 알아보자.

❀ 오늘은 무엇을 배울까요?

You run fast.
너는 빨리 달린다.

I jump high.
나는 높이 점프한다.

문법 쏙쏙

개념 읽는 QR
10

눈 과 **귀** 로 익혀요

부사가 형용사와 모양이 같은 경우가 있어요.

He is fast!

He is fast. 그는 빠르다. – 형용사

He runs fast. 그는 빨리 달린다. – 부사

형용사와 모양이 같은 부사로는
early(이른/일찍)도 있어.

손 으로 익혀요 부사가 형용사와 같은 경우

fast - fast
빠른   빨리

late - late
늦은   늦게

hard - hard
어려운   열심히

high - high
높은   높이

Ⓐ 다음을 읽고, 알맞은 우리말 뜻에 동그라미 하세요.

1.
come <u>late</u>

늦은

늦게

2.
go <u>early</u>

일찍

이른

3.
work <u>hard</u>

열심히

어려운

4.
run <u>fast</u>

빠른

빨리

3
주

Ⓑ 그림을 보고, 알맞은 말에 ✔표 하세요.

1.

It flies ☐ fast ☐ fastly .

그것은 빨리 난다.

2.

They study ☐ hard ☐ hardly .

그들은 열심히 공부한다.

3.

It is a ☐ highly ☐ high mountain.

그것은 높은 산이다.

2일 실력 쏙쏙
Grammar

A 그림을 보고, 알맞은 말에 동그라미 하세요.

1.

   She works (hard / hardly).

   그녀는 열심히 일한다.

2.

   He walks (fast / fastly).

   그는 빨리 걷는다.

3.

   She gets up (early / earlily).

   그녀는 일찍 일어난다.

B 우리말 뜻에 알맞은 문장에 ✔표 하세요.

1.

그는 늦게 잔다.

   He goes to bed late.

   He goes to bed lately.

2.

우리는 일찍 집에 온다.

   We come home earlily.

   We come home early.

C 밑줄 친 말을 바르게 고쳐 문장을 완성하세요.

1.
> It jumps <u>highly</u>. 그것은 높이 점프한다.
>
> ➡ It jumps _____ .

2.
> They study <u>hardly</u>. 그들은 열심히 공부한다.
>
> ➡ They study _____ .

D 그림을 보고, 알맞은 말을 보기 에서 골라 문장을 완성하세요.

> 보기   late   fast

1. We are [   ] runners.

   우리는 빠른 주자들이다.

   We run [   ] .

   우리는 빨리 달린다.

2. He wakes up [   ] .

   그는 늦게 일어난다.

   He is [   ] for school.

   그는 학교에 늦는다.

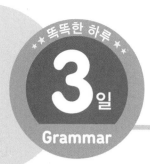

3일

Grammar

그것은 상자 안에 있다

It Is in the Box

🎯 재미있는 이야기로 오늘 배울 내용을 만나 보세요.

✻ 오늘은 무엇을 배울까요?

It is in the box.
그것은 상자 안에 있다.

It is on the sofa.
그것은 소파 위에 있다.

It is under the chair.
그것은 의자 아래에 있다.

문법 쏙쏙

개념 읽는 QR
11

사람, 동물, 사물의 위치에 따라 **in**, **on**, **under**를 구별해서 써요.

It is in the box.
그것은 상자 안에 있다.

It is on the box.
그것은 상자 위에 있다.

It is under the box.
그것은 상자 아래에 있다.

손으로 익혀요 위치를 나타내는 in, on, under

in (~ 안에)	It is in the bottle.	그것은 / 있다 / 병 안에.
on (~ 위에)	It is on the bottle.	그것은 / 있다 / 병 위에.
under (~ 아래에)	It is under the bottle.	그것은 / 있다 / 병 아래에.

A 그림을 보고, 알맞은 말에 동그라미 하세요.

1.

~ 위에   in / on

2.
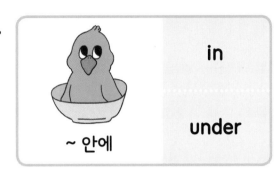
~ 안에   in / under

3.
~ 안에   in / on

4.
~ 아래에   on / under

B 다음을 읽고, 알맞은 우리말 뜻에 ✔표 하세요.

1.
on the desk

☐ 책상 위에   ☐ 책상 안에

2.
in the bag

☐ 가방 위에   ☐ 가방 안에

3.
under the tree

☐ 나무 위에   ☐ 나무 아래에

4.
on the chair

☐ 의자 위에   ☐ 의자 아래에

A 그림을 보고, 알맞은 말에 동그라미 하세요.

1.

He is (in / on) the bed.

그는 침대 위에 있다.

2.

It is (on / under) the desk.

그것은 책상 아래에 있다.

3.

They are (in / under) the basket.

그것들은 바구니 안에 있다.

B 그림을 보고, 알맞은 말을 골라 문장을 완성하세요.

1.

in

on

It is _____ the hat.
그것은 모자 안에 있다.

2.

on

under

It is _____ the sofa.
그것은 소파 아래에 있다.

C 주어진 말과 in, on, under를 이용하여 문장을 완성하세요.

1.
the bag

It is _____.

그것은 가방 위에 있다.

2.
the chair

It is _____.

그것은 의자 아래에 있다.

3.
the room

He is _____.

그는 방 안에 있다.

3
주

D 그림을 보고, 알맞은 말을 보기에서 골라 문장을 완성하세요.

보기   in   on   under

1. They are [   ] the sofa.

그것들은 소파 위에 있다.

2. They are [   ] the basket.

그것들은 바구니 안에 있다.

3. It is [   ] the table.

그것은 탁자 아래에 있다.

나는 9시에 수영하러 간다

I Go Swimming at 9

🎯 재미있는 이야기로 오늘 배울 내용을 만나 보세요.

시간을 나타내는 표현을 알아보자.

✿ 오늘은 무엇을 배울까요?

I go swimming at 9.
나는 9시에 수영하러 간다.

We go shopping on Sundays.
우리는 일요일마다 쇼핑하러 간다.

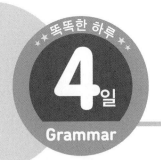

문법 쏙쏙

12

 로 익혀요

시각, 요일, 특정 시간 등에 따라 **at**, **on**, **in**을 구별해서 써요.

I go to school at 8.
나는 8시에 학교에 간다.

I cook dinner on Fridays.
나는 금요일마다 저녁을 요리한다.

I study in the evening.
나는 저녁에 공부한다.

〈in+특정 시간〉은 in the morning (afternoon / evening)이 있어.

 으로 익혀요 시간을 나타내는 at, on, in

at + 시각	I watch TV at 9.	나는 / TV를 본다 / 9시에.
on + 요일	I play games on Sundays.	나는 / 게임을 한다 / 일요일마다.
in + 특정 시간	I exercise in the afternoon.	나는 / 운동한다 / 오후에.

▶정답 18쪽

 시간을 나타내는 알맞은 말에 ✔표 하세요.

1.

☐ at	
☐ on	12
☐ in	

2.

☐ at	
☐ on	Wednesday
☐ in	

3.

☐ at	
☐ on	Thursday
☐ in	

4.

☐ at	
☐ on	the morning
☐ in	

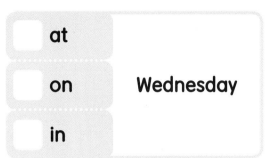

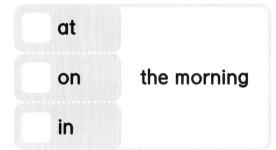

 우리말을 읽고, 빈칸에 at, on, in 중 하나를 골라 쓰세요.

1.

일요일에

☐ Sunday

2.

7시에

☐ 7

3.

오후에

☐ the afternoon

4.

금요일에

☐ Friday

실력 쏙쏙

 A 그림을 보고, 알맞은 말에 동그라미 하세요.

1.

Christmas is (in / on) Saturday.

크리스마스는 토요일이다.

2.

He has lunch (at / in) 1.

그는 1시에 점심을 먹는다.

3.

I go swimming (in / on) the morning.

나는 아침에 수영을 하러 간다.

B 그림을 보고, 알맞은 말을 골라 문장을 완성하세요.

1.

at

in

The concert starts _____ 2.

콘서트는 2시에 시작한다.

2.

on

in

His birthday is _____ Friday.

그의 생일은 금요일이다.

C 주어진 말과 at, on, in을 이용하여 문장을 완성하세요.

1.

8

I get up _____.

나는 8시에 일어난다.

2.

the evening

They study _____.

그들은 저녁에 공부한다.

3.

Tuesday

He comes _____.

그는 화요일에 온다.

D 그림을 보고, 알맞은 말을 보기에서 골라 문장을 완성하세요.

보기   at   on   in

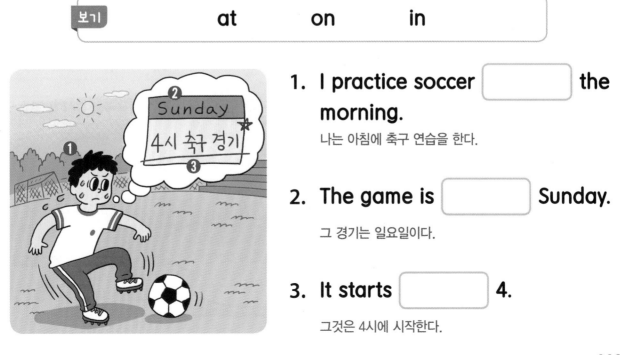

1. I practice soccer [   ] the morning.

나는 아침에 축구 연습을 한다.

2. The game is [   ] Sunday.

그 경기는 일요일이다.

3. It starts [   ] 4.

그것은 4시에 시작한다.

3주 복습

🎯 재미있는 이야기로 한 주 동안 배운 내용을 복습해 보세요.

1일

2일

3일

4일

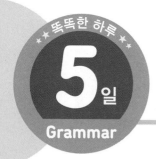

쏙쏙 정리 ①

A 알맞은 말을 골라 우리말 뜻과 일치하도록 문장을 완성하세요.

1.
- [ ] fast
- [ ] slowly

She runs _____.
그녀는 빨리 달린다.

2.
- [ ] late
- [ ] early

He comes _____.
그는 늦게 온다.

3.
- [ ] sadly
- [ ] happily

They smile _____.
그들은 행복하게 미소 짓는다.

B 그림을 보고, 보기 에서 알맞은 말을 골라 문장을 완성하세요.

| 보기 | in | under |

1.

They are _____ the basket.
그것들은 바구니 안에 있다.

2.

It is _____ the chair.
그것은 의자 아래에 있다.

▶정답 19쪽

C 주어진 말을 바르게 배열하여 문장을 쓰세요.

1.

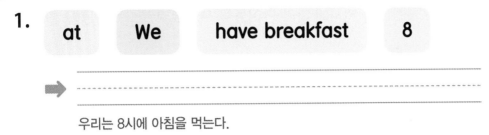

| at | We | have breakfast | 8 |

➡ --

우리는 8시에 아침을 먹는다.

2.

| on | I | Sundays | watch movies |

➡ --

나는 일요일마다 영화를 본다.

D 밑줄 친 부분을 바르게 고쳐 문장을 다시 쓰세요.

1.

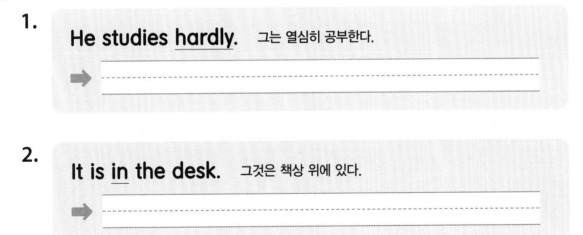

He studies <u>hardly</u>.   그는 열심히 공부한다.

➡ --

2.

It is <u>in</u> the desk.   그것은 책상 위에 있다.

➡ --

3.

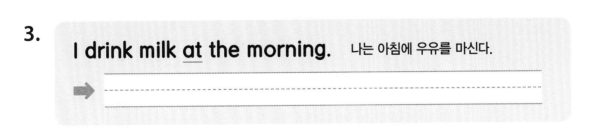

I drink milk <u>at</u> the morning.   나는 아침에 우유를 마신다.

➡ --

 다음 단어들을 정리하려고 해요. 각 지시에 따라 단어들을 쓰세요.

5 : 00	morning	Sunday
evening	9 : 30	Monday
Tuesday	afternoon	12 : 00

on on과 함께 쓸 수 있는 요일을 나타내는 단어들을 쓰세요.

Sunday

at at과 함께 쓸 수 있는 구체적인 시각을 나타내는 단어들을 쓰세요.

in in과 함께 쓸 수 있는 특정 시간을 나타내는 단어들을 쓰세요.

▶정답 19쪽

B 주어진 단어의 알맞은 부사 형태를 퍼즐 속에서 찾아 쓰세요.

1. slow ➡ [   ] 2. happy ➡ [   ]

3. sad ➡ [   ] 4. fast ➡ [   ]

5. high(높은) ➡ [   ] 6. late(늦은) ➡ [   ]

s	t	h	w	q	f	h	s
a	l	l	i	j	v	a	l
l	x	o	w	g	d	p	a
s	e	h	w	l	h	p	t
q	a	f	y	l	o	i	e
x	z	m	d	u	y	l	n
f	a	s	t	i	m	y	p
r	o	t	d	u	g	s	s

1 그림을 보고, 알맞은 말에 동그라미 하세요.

(1)

(slowly / quickly)

(2)

(hard / high)

2 그림을 보고, 알맞은 단어를 고르세요.

_____ the desk

① at   ② in

③ on   ④ under

3 그림을 보고, 빈칸에 알맞은 단어를 고르세요.

Christmas is _____ Saturday.

① at   ② in

③ on   ④ under

4 형용사와 부사가 잘못 짝 지어진 것을 고르세요.

① fast – fastly

② easy – easily

③ slow – slowly

④ happy – happily

5 다음 빈칸에 들어갈 말로 적절하지 <u>않은</u> 것을 고르세요.

> She _____ .

① runs fast

② jumps highly

③ gets up early

④ goes to bed late

6 우리말 뜻에 맞게 빈칸에 들어갈 말이 바르게 짝 지어진 것을 고르세요.

> • 그는 방에 있다.
> He is _____ the room.
> • 그는 저녁에 공부한다.
> He studies _____ the evening.

① in – in

② on – at

③ at – on

④ under – in

7 그림을 보고, 알맞은 문장의 기호를 쓰세요.

> ⓐ It is under the chair.
> ⓑ It is on the box.

(1)  (2)

〔 〕 〔 〕

8 그림을 보고, 주어진 단어를 바르게 배열하여 문장을 완성하세요.

(lunch / 1 / at)

He has _____ .

배운 내용을 떠올리며 말판 놀이를 해 보세요.

START 캐나다

1. 단어와 알맞은 우리말을 연결하세요.

slow · · 느리게

slowly · · 느린

9. 대화의 빈칸에 알맞은 말을 쓰세요.

A Where is the ball?
공은 어디에 있니?
B It is _____ the box.
그것은 상자 위에 있어.

8. 질문의 대답을 할 때 빈칸에 알맞은 말을 쓰세요.

When does it start?
➡ It starts _____ 2.

7. 문장에서 in이 들어갈 위치에 ✓표 하세요.

I go shopping the morning.

6. 밑줄 친 부분을 바르게 고쳐 쓰세요.

It flies highly.

➡ _____

2. 그림에 알맞은 말을 고르세요.

(in / on) the box

3. 그림과 일치하면 ○, 일치하지
않으면 ✕표 하세요.

She works hard. ☐

10. 우리말에 맞게 단어를 바르게
배열하여 문장을 쓰세요.

그것은 책상 아래에 있다.

➡ _____

(under / is / the desk / It)

FINISH

4. 우리말에 알맞은 문장을
골라 ✓표 하세요.

그것들은 모자 위에 있다.

☐ They are in the hat.
☐ They are on the hat.

5. 우리말에 알맞은 말을 고르세요.

그녀는 빠르게 수영한다.
She swims (fast / fastly).

A 우주비행사가 우주에 흩어진 단어들을 연결해야 해요. 사다리를 타고 내려가 형용사와 부사가 연결될 수 있도록 가로선을 그어 보세요.

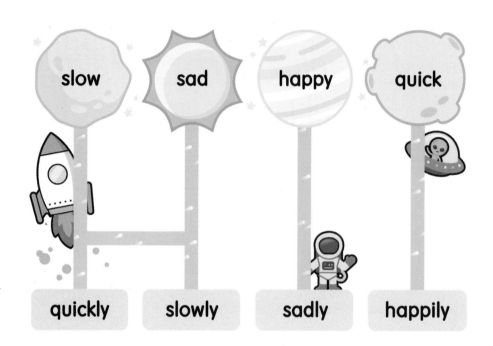

slow sad happy quick

quickly slowly sadly happily

B 주스 병에 알파벳이 빠졌어요. 단서 를 읽고, 우리말에 맞게 알파벳을 꺼내 단어를 쓰세요.

단서
1. 각 병에 있는 알파벳을 배열하여 단어를 쓰세요.
2. 각 단어는 형용사와 부사가 동일한 모양이에요.

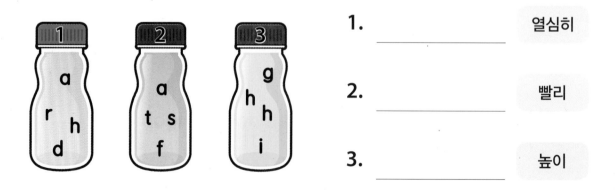

1. _____ 열심히

2. _____ 빨리

3. _____ 높이

C 다음 카드의 규칙을 찾아 위치 또는 시간을 쓰세요.

1.

on the
hat

in the
hat

on the
hat

in the
hat

?

2.

under the
desk

on the
desk

?

on the
desk

under the
hat

3.

at 6 : 40

?

at 6 : 40

on
Sunday

at 6 : 40

1.   2.   3.

다음 중 알맞은 알파벳을 골라 단어를 완성하세요.

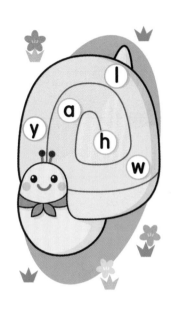

1. s☐d
슬픈

2. s☐o☐
느린

3. ☐app☐
행복한

Step B

Step A 의 단어를 이용하여 문장을 완성하세요.

1.
He cries _____.

그는 슬프게 운다.

2.
It moves _____.

그것은 느리게 움직인다.

3.
She smiles _____.

그녀는 행복하게 미소 짓는다.

Step C 다음 힌트 와 같이 거울에 비친 단어를 바르게 써서 문장을 쓰세요.

힌트

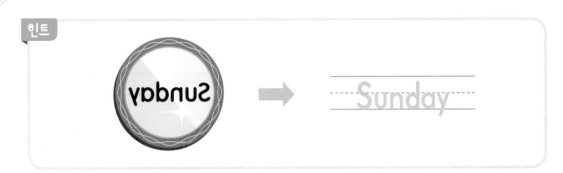

Sunday → Sunday

1.

I swim in the .

나는 아침에 수영한다.

2.

It is under the

그것은 의자 아래에 있다

3.

He goes to bed

그는 늦게 잔다.

4.

She studies

그녀는 열심히 공부한다.

4주에는 무엇을 공부할까? ❶

재미있는 이야기로 이번 주에 공부할 내용을 알아보세요.

여러 문장

①일 ~ ④일 여러 문장 공부   ⑤일 4주 복습

4
주

4주에는 무엇을 공부할까? ❷

 A

◉ 지시하거나 금지하는 말을 찾아 동그라미 해보세요.

그들은 달리고 있다.

문을 닫아라.

여기서 수영하지 마.

아침을 먹자.

수업을 시작하다.

크게 말하지 마.

B

◉ 여러분이 친구들에게 자주 하는 말에 ✔표 하세요.

점심을 먹자. ☐

축구하자. ☐

공부하자. ☐

청소하자. ☐

숙제하자. ☐

똑똑한 하루

1일
Grammar

창문을 닫아라
Close the Window

🎯 재미있는 이야기로 오늘 배울 내용을 만나 보세요.

4
주

'~해라'라고 지시하는
표현을 알아보자.

❄ **오늘은 무엇을 배울까요?**

Stand up.
일어서라.

Sit down.
앉아라.

문법 쏙쏙

13

 눈 과 귀 로 익혀요

'~해라'라고 할 때는 주어 없이 동사로 시작해요.

Open the window.
창문을 열어라.

Sit down.
앉아라.

> 문장 앞이나 뒤에 please를 붙이면
> 좀 더 정중한 표현이 돼.

 손으로 익혀요 동사~ : ~해라

~해라	**Wash your hands.**	씻어라 / 너의 손을.
	Close the window.	닫아라 / 창문을.
~하세요 (~해 주세요)	**Stand up, please.**	일어서 주세요.

'～해라'라고 지시하는 말에 ✔표 하세요.

1.
☐ Coming
☐ Come
here.

2.
☐ Stand
☐ Stands
up.

3.
☐ Speak
☐ Speaks
slowly.

4.
☐ Clean
☐ Cleaning
your room.

4
주

B 다음을 읽고, 알맞은 우리말 뜻에 ✔표 하세요.

1.
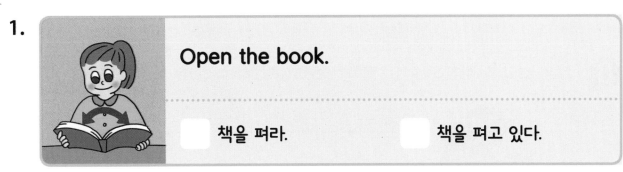

Open the book.

☐ 책을 펴라.   ☐ 책을 펴고 있다.

2.
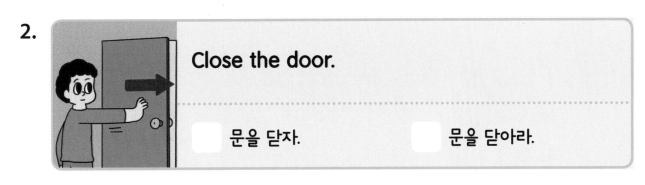

Close the door.

☐ 문을 닫자.   ☐ 문을 닫아라.

실력 쏙쏙

 그림을 보고, 알맞은 말에 동그라미 하세요.

1.

(Wash / Washes) your hands.

손을 씻어라.

2.

(Do / Does) your homework.

숙제를 해라.

3.

(Wear / Wearing) a helmet.

헬멧을 써라.

B 그림을 보고, 밑줄 친 말을 바르게 고쳐 문장을 완성하세요.

1.

Wakes up.

➡ _____ up.

일어나라.

2.

Going to bed.

➡ _____ to bed.

자러 가라.

C 우리말에 맞게 주어진 말을 바르게 배열하여 문장을 쓰세요.

1.

| eat | vegetables |

_____

채소를 먹어라.

2.

| milk | drink |

_____

우유를 마셔라.

3.

| a book | read |

_____

책을 읽어라.

D 그림을 보고, 알맞은 말을 보기 에서 골라 문장을 완성하세요.

보기   sit   close   open

1. [ ] the window.

창문을 닫아라.

2. [ ] down.

앉아라.

3. [ ] your book.

네 책을 펴라.

뛰지 마라
Don't Run

🎯 **재미있는 이야기로 오늘 배울 내용을 만나 보세요.**

💠 **오늘은 무엇을 배울까요?**

Don't run.
뛰지 마라.

Don't drink **here**.
여기서 마시지 마라.

문법 쏙쏙

개념 읽는 QR
14

눈 과 귀 로 익혀요

'~하지 마라'라고 할 때는 <**Don't**+동사>로 표현해요.

Don't touch.
만지지 마라.

Don't push.
밀지 마라.

> 문장의 앞이나 뒤에 please를 붙이면 좀 더 정중한 표현이 돼.

 손으로 익혀요   Don't+동사 ~ : ~하지 마라

~하지 마라	Don't talk **loudly**.	말하지 마라 / 큰소리로.
	Don't eat **candies**.	먹지 마라 / 사탕을.
~하지 마세요 (~하지 말아 주세요)	Don't enter, please.	들어가지 마세요.

▶ 정답 23쪽

A 그림을 보고, 알맞은 말에 동그라미 하세요.

1.

Not sit.　　Don't sit.

2.

Don't eat.　　Do eat.

3.

Touch not.　　Don't touch.

4.

Don't enter.　　Enter don't.

B 우리말 뜻에 알맞은 문장에 ✔표 하세요.

1.

여기서 뛰지 마라.

☐ Run here.

☐ Don't run here.

2.

여기서 말하지 마라.

☐ Not talk here.

☐ Don't talk here.

실력 쏙쏙

 A 그림을 보고, 그림 속 아이에게 할 말로 알맞은 것에 동그라미 하세요.

1.

(Not eat / Don't eat) food here.

여기서 음식을 먹지 마라.

2.

(Don't / Don't do) swim here.

여기서 수영하지 마라.

3.

(Climb / Don't climb) the tree.

나무에 오르지 마라.

B 밑줄 친 부분을 바르게 고쳐 문장을 완성하세요.

1.

<u>Not pushes</u>, please.

밀지 말아 줘.

➡ _____, please.

2.

<u>Opens</u> your eyes.

눈을 뜨지 마라.

➡ _____ your eyes.

▶정답 23쪽

C 주어진 말과 don't를 이용하여 문장을 쓰세요.

1. | talk | loudly | ➡
_____

큰소리로 말하지 마라.

2. | close | the door | ➡
_____

문을 닫지 마라.

3. | eat | ice cream | ➡
_____

아이스크림을 먹지 마라.

D 그림을 보고, 알맞은 말을 보기 에서 골라 don't를 이용하여 문장을 완성하세요.

보기　　　　take　　　run　　　touch

1. [　　　　] pictures.

사진을 찍지 마라.

2. [　　　　] it.

그것을 만지지 마라.

3. [　　　　]

뛰지 마라.

똑똑한 하루

3일
Grammar

축구하자
Let's Play Soccer

🎯 **재미있는 이야기로 오늘 배울 내용을 만나 보세요.**

'~하자'라고 제안하는 표현을 알아보자.

❄️ **오늘은 무엇을 배울까요?**

Let's play basketball.
농구하자.

Let's play soccer.
축구하자.

문법 쏙쏙

 과 귀 로 익혀요

'~하자'라고 제안할 때는 **<Let's+동사>**로 표현해요.

Let's go outside.
밖에 나가자.

Let's play badminton.
배드민턴을 치자.

> 상대방에게 같이 하자라고
> 제안할 때 쓰면 돼.

 으로 익혀요 Let's ~ : ~하자

Let's swim **here.**	수영하자 / 여기서.
Let's play **basketball.**	하자 / 농구를.
Let's study **together.**	공부하자 / 같이.

A 그림을 보고, 알맞은 말에 동그라미 하세요.

1.

| Let sing. | Let's sing. |

2.

| Let's run. | Let's running. |

3.

| Let's eat. | Let do eat. |

4.

| Let's dance. | Let's dances. |

B 다음을 읽고, 알맞은 우리말 뜻에 ✔표 하세요.

1.

Let's meet at 2.

☐ 2시에 만나자.

☐ 2시에 만나라.

2.

Let's play baseball.

☐ 야구를 하자.

☐ 야구를 하지 마라.

실력 쏙쏙

A 그림을 보고, 알맞은 말에 ✔표 하세요.

1.

Let's ☐ play ☐ plays tennis.

테니스를 치자.

2.

☐ Let ☐ Let's eat lunch.

점심을 먹자.

3.

☐ Make ☐ Let's make cookies.

쿠키를 만들자.

B 주어진 동사와 Let's를 이용하여 문장을 완성하세요.

1. swim

_____ here.

여기서 수영을 하자.

2. go

_____ shopping.

쇼핑하러 가자.

C 그림을 보고, 주어진 말을 바르게 배열하여 문장을 쓰세요.

1.

| go on | Let's | a picnic |

➡ _____

소풍을 가자.

2.

| together | study | Let's |

➡ _____

같이 공부하자.

D 그림을 보고, 알맞은 말을 보기 에서 골라 Let's를 이용하여 문장을 완성하세요.

보기   clean   play   watch

1. [   ] basketball.

농구하자.

2. [   ] the house.

집을 청소하자.

3. [   ] TV.

TV를 보자.

정말 귀여운 고양이구나!

What a Cute Cat!

◎ 재미있는 이야기로 오늘 배울 내용을 만나 보세요.

'정말 ~하구나!'라고
감탄하는 표현을 알아보자.

☀ 오늘은 무엇을 배울까요?

What a cute cat!
정말 귀여운 고양이구나!

What a smart puppy!
정말 똑똑한 강아지구나!

문법 쏙쏙

눈과 귀로 익혀요

> 감탄하는 말을 할 때는 〈What a(n) + 형용사 + 명사〉의 순서로 표현해요.

What a nice bike!   정말 멋진 자전거구나!

What a cute dog!   정말 귀여운 개구나!

> What으로 감탄하는
> 표현 뒤에는 느낌표를 써야 해.

손으로 익혀요 | What a(n) + 형용사 + 명사!: 정말 ~하구나!

What a funny story!   정말 재미있는 이야기구나!

What a great idea!   정말 훌륭한 생각이구나!

감탄하는 말로 알맞은 것에 ✔표 하세요.

1.
☐ How

☐ What

a tall boy!

2.
☐ What

☐ Where

a smart girl!

3.
☐ When

☐ What

a nice bag!

4.
☐ Why

☐ What

a great game!

B 우리말을 읽고, 알맞은 말을 연결해 보세요.

1.

| 정말 훌륭한 노래구나! | What | • a song great! |
| | | • a great song! |

2.

| 정말 멋진 모자구나! | What | • a nice hat! |
| | | • a hat nice! |

실력 쏙쏙

A 그림을 보고, 알맞은 말에 ✓표 하세요.

1.

What ☐ nice ship ☐ a nice ship !

정말 멋진 배구나!

2.

What a ☐ smart dog ☐ dog smart !

정말 똑똑한 개구나!

3.

☐ How ☐ What a great story!

정말 훌륭한 이야기구나!

B 주어진 말과 What을 이용하여 문장을 쓰세요.

1. a nice bag

_____
_____
_____

정말 멋진 가방이구나!

2. a heavy chair

_____
_____
_____

정말 무거운 의자구나!

▶ 정답 25쪽

B 그림을 보고, 주어진 말을 바르게 배열하여 문장을 쓰세요.

1. | dress | a pretty | What | ! |

⇒ _____

정말 예쁜 드레스구나!

2. | a tall | What | building | ! |

⇒ _____

정말 높은 건물이구나!

D 그림을 보고, 알맞은 말을 보기 에서 골라 What을 이용하여 문장을 쓰세요.

보기 a cute cat   a beautiful flower   a big tree

1. _____

정말 큰 나무구나!

2. _____

정말 귀여운 고양이구나!

3. _____

정말 아름다운 꽃이구나!

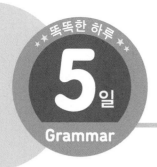

4주 복습

🎯 재미있는 이야기로 한 주 동안 배운 내용을 복습해 보세요.

3일

4일

쏙쏙 정리 ①

A 우리말을 읽고, 알맞은 말을 골라 문장을 완성하세요.

1.
- [ ] Wash
- [ ] Washes

_____ your hands.

손을 씻어라.

2.
- [ ] Not
- [ ] Don't

_____ eat candies.

사탕을 먹지 마라.

3.
- [ ] Sit
- [ ] Don't sit

_____ down.

앉아라.

B 그림을 보고, 보기 에서 알맞은 말을 골라 문장을 완성하세요.

보기	Let's	What

1.

_____ a nice ship!

정말 멋진 배구나!

2.

_____ study together.

같이 공부하자.

▶정답 26쪽

C 주어진 말을 바르게 배열하여 문장을 쓰세요.

1.

| cookies | Let's | make |

➡ _____

쿠키를 만들자.

2.

| here | Don't | run |

➡ _____

여기서 뛰지 마라.

D 밑줄 친 부분을 바르게 고쳐 문장을 다시 쓰세요.

1.

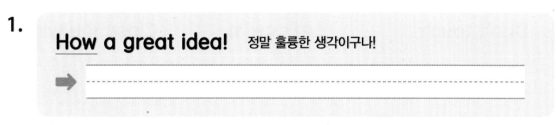

How a great idea!   정말 훌륭한 생각이구나!

➡ _____

2.

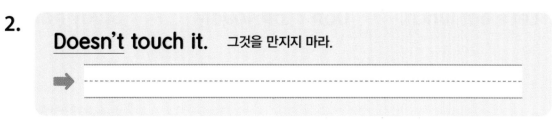

Doesn't touch it.   그것을 만지지 마라.

➡ _____

3.

Let clean the room.   방을 청소하자.

➡ _____

 엄마가 미나에게 하라고 말한 일들을 찾고 있어요. '~해라'라고 지시하는 말을 모두 색칠하여 칭찬 스티커를 받도록 도와 주세요.

	Let's run.	Don't enter.
Eat breakfast.	What a big tree!	Let's study together.
Get up early.	Go to school.	Drink milk.
Don't touch.	Let's swim.	Close the window.
Let's eat lunch.	Don't talk loudly.	Study hard.
What a cute dog!	Don't swim here.	Excellent!

B 그림에 맞게 사다리를 타고 내려가 문장을 만들어야 해요. 바르게 연결될 수 있도록 가로선을
그어 보세요.

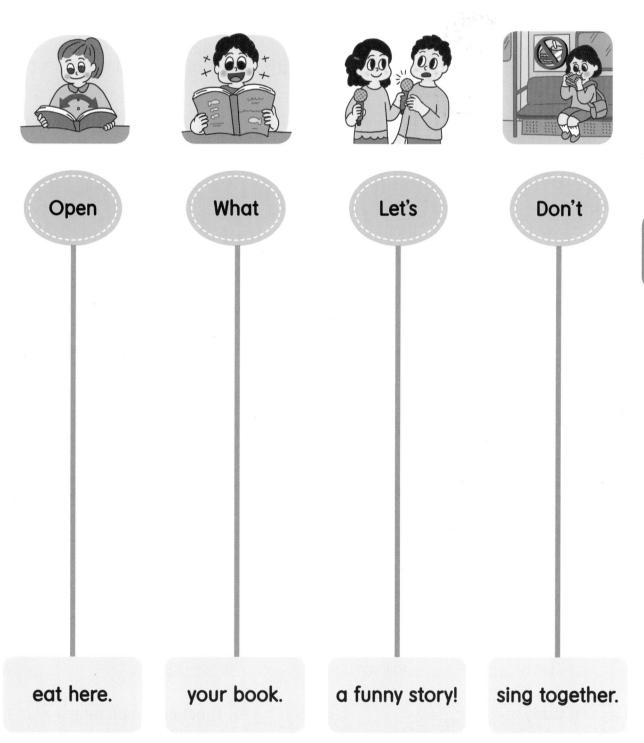

[1~2] 그림을 보고, 빈칸에 알맞은 단어를 고르세요.

1

_____ down.

① Sit   ② Stand

③ Don't sit ④ Don't stand

[3~4] 다음 문장을 바르게 고친 것을 고르세요.

3

How a bag nice!
정말 멋진 가방이구나!

① How a nice bag!

② What a bag nice!

③ What a nice bag!

④ What nice a bag!

2

Let's _____ together.

① study

② studies

③ studying

④ not studying

4

Touch the picture.
그림을 만지지 마라.

① Touches the picture.

② Not touch the picture.

③ Don't touch the picture.

④ Let's touch the picture.

5 우리말을 영어로 바르게 옮긴 것을 고르세요.

방을 청소하자.

① Clean the room.

② Don't clean the room.

③ Let's clean the room.

④ What a clean room!

7 그림을 보고, 알맞은 문장의 기호를 쓰세요.

ⓐ Go to bed.

ⓑ Don't climb the tree.

(1)  (2)

6 그림을 보고, 알맞은 말을 골라 쓰세요.

(1)

_____ eat dinner.

(Let / Let's)

(2)

_____ a smart dog!

(What / What is)

8 그림을 보고, 주어진 말을 바르게 배열하여 문장을 쓰세요.

_____

(here / eat / food / Don't)

배운 내용을 떠올리며 말판 놀이를 해 보세요.

2. 그림에 알맞은 말을 고르세요.
(Go / Going) to bed.

3. 우리말에 알맞은 말을 고르세요.
정말 멋진 모자이구나!
(How / What) a nice hat!

4. 문장을 읽고, 알맞은 그림에 동그라미 하세요.
Don't climb the tree.

1. 문장에 알맞은 우리말을 연결하세요.
Stand up. • • 앉아라.
Sit down. • • 일어서라.

5. 그림과 일치하면 ○, 일치하지 않으면 ✕표를 하세요.
Open the door.

START

8. 밑줄 친 부분을 바르게 고쳐 쓰세요.

What a dog cute!

➡ _____

9. 금지하는 말이 되도록 빈칸에 알맞은 말을 쓰세요.

Take pictures.
➡ _____ take pictures.

7. 우리말에 알맞은 문장을 골라 ✓표 하세요.

방을 청소해라.
☐ Clean the room.
☐ Let's clean the room.

10. 우리말에 맞게 단어를 바르게 배열하여 문장을 쓰세요.

정말 멋진 자전거구나!
➡ _____
(a nice / What / bike)

6. 그림에 맞는 문장에 ✓표를 하세요.

☐ Let's sing.
☐ Let's eat lunch.

FINISH

4
주

A 건우가 새롬이에게 해야 할 일을 암호로 알려 줬어요. 단서 와 힌트 를 참고하여 암호를 푼 후 문장을 완성하세요.

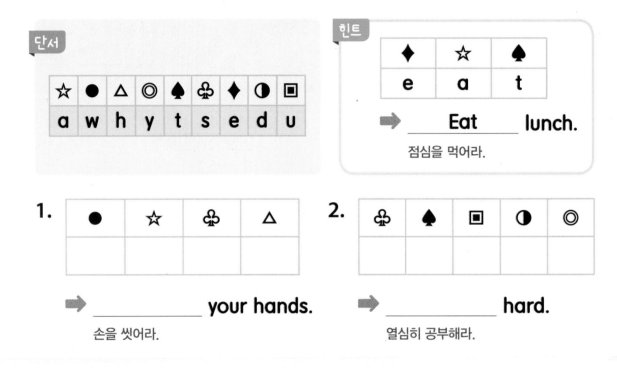

단서

☆	●	△	◎	♠	♣	♦	◑	▣
a	w	h	y	t	s	e	d	u

힌트

♦	☆	♠
e	a	t

➡ _____Eat_____ lunch.

점심을 먹어라.

1.

●	☆	♣	△

➡ _____ your hands.

손을 씻어라.

2.

♣	♠	▣	◑	◎

➡ _____ hard.

열심히 공부해라.

B 화살표 방향대로 단어 칸을 따라가 순서대로 만나는 단어들로 문장을 완성하세요.

1.

up	here	eat
run	drink	sit
출발	don't	?

➡ ↗ ↖

여기 앉지 마라.

2.

it	eat	swim
touch	출발	food
late	don't	up

↓ ↖ ↑

그것을 만지지 마라.

C 미로를 통과하며 만나는 단어로 문장을 완성하세요.

1.

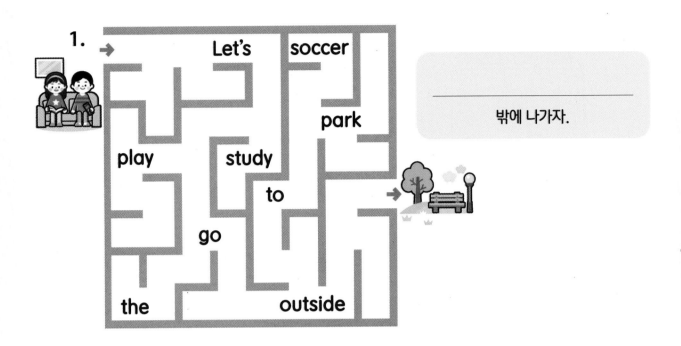

_____
밖에 나가자.

2.

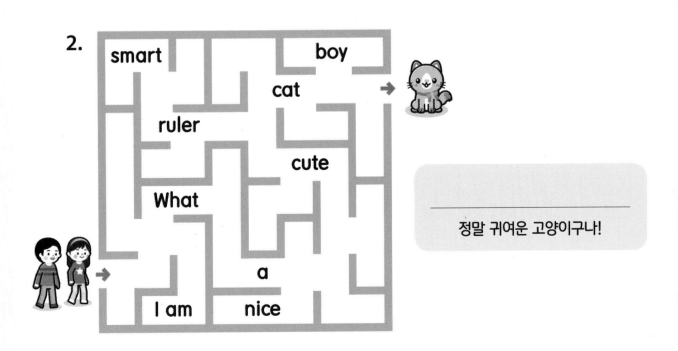

_____
정말 귀여운 고양이구나!

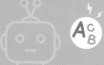
Step A

다음 중 알맞은 알파벳을 골라 단어를 완성하세요.

1.  cl ☐ s ☐
   닫다

2.  s ☐ ar ☐
   똑똑한

3.  o ☐ en
   열다

Step B

Step A 에서 완성한 단어를 써서 문장을 완성하세요.

1. Don't ＿＿＿＿＿＿ the door.

   문을 닫지 마라.

2. What a ＿＿＿＿＿＿ cat!

   정말 똑똑한 고양이구나!

3. ＿＿＿＿＿＿ your book.

   책을 펴라.

정답 28쪽

Step C

다음 힌트 와 같이 거울에 비친 단어를 바르게 써서 문장을 쓰세요.

힌트

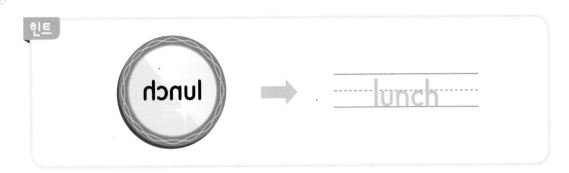

lunch ➡ lunch

4주

1.
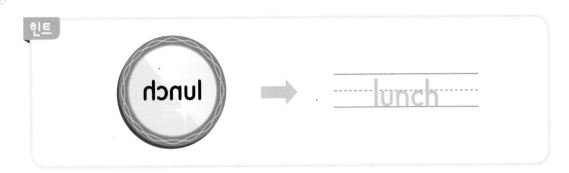

sit

Don't _____ here.

여기에 앉지 마.

2.
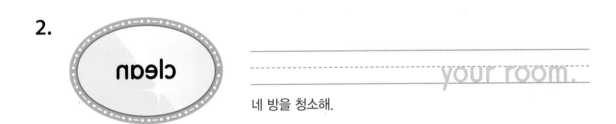

clean

_____ your room.

네 방을 청소해.

3.

outside

Let's go _____.

밖에 나가자.

4.
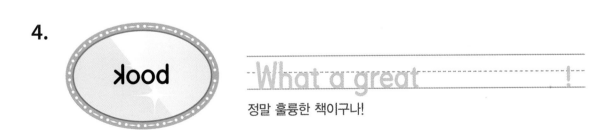

book

What a great _____!

정말 훌륭한 책이구나!

1주 1일

I am jumping. 　나는 점프하고 있다.

We are running. 　우리는 달리고 있다.

1주 2일

They are cooking. 　그들은 요리하고 있다.

She is eating **lunch.** 　그녀는 점심을 먹고 있다.

1주 3일

I am not **swimming.** 　나는 수영하고 있지 않다.

He is not **sleeping.** 　그는 자고 있지 않다.

1주 4일

Is she watching **TV?** 　그녀는 TV를 보고 있니?

Are you eating **a cookie?** 　너는 쿠키를 먹고 있니?

2주 1일

Who is she?   – **She is my sister.**
그녀는 누구니?   그녀는 내 여동생이다.

What are they?   – **They are eggs.**
그것들은 무엇이니?   그것들은 달걀들이다.

2주 2일

When is your birthday?   – **It is May 5.**
네 생일은 언제니?   5월 5일이야.

Where is it?   – **It is on the chair.**
그것은 어디에 있니?   그것은 의자 위에 있다.

2주 3일

How many eggs?   – **Three eggs.**
달걀은 몇 개니?   세 개야.

How much is it?   – **It is 1,000 won.**
얼마니?   1,000원이야.

2주 4일

What day is it?   – **It is Monday.**
무슨 요일이니?   월요일이야.

What time is it?   – **It is 3:20.**
몇 시니?   3시 20분이야.

3주 1일

We sing happily.   우리는 행복하게 노래한다.

He cries sadly.   그는 슬프게 운다.

3주 2일

He runs fast.   그는 빨리 달린다.

It jumps high.   그것은 높이 점프한다.

3주 3일

He is on **the bed.**   그는 침대 위에 있다.

It is under **the table.**   그것은 탁자 아래에 있다.

They are in **the basket.**   그것들은 바구니 안에 있다.

3주 4일

He has lunch at **1.**   그는 한 시에 점심을 먹는다.

I go swimming in **the morning.**   나는 아침에 수영하러 간다.

His birthday is on **Friday.**   그의 생일은 금요일이다.

4주 1일

Open **the window.**   창문을 열어라.

Close **the door.**   문을 닫아라.

4주 2일

Don't eat **food here.**   여기서 음식을 먹지 마라.

Don't swim **here.**   여기서 수영하지 마라.

4주 3일

Let's play **badminton.**   배드민턴을 치자.

Let's study **together.**   같이 공부하자.

4주 4일

What **a nice bike!**   정말 멋진 자전거구나!

What **a smart dog!**   정말 똑똑한 개구나!

실패는 고통스럽다.
그러나 최선을 다하지 못했음을 깨닫는 것은
몇 배 더 고통스럽다.

Failure hurts, but realizing you didn't do your best
hurts even more.

앤드류 매슈스

살아가면서 실패는 누구나 겪는 감기몸살 같은 것이지만
최선을 다 하지 않은 것은 부끄러운 일이라고 합니다. 만약 최선을 다 하고도
실패했다면 좌절하지 마세요. 언젠가 값진 선물이 되어 다시 돌아올 테니까요.

뭘 좋아할지 몰라 다 준비했어♥
전과목 교재

전과목 시리즈 교재

●무등샘 해법시리즈

– 국어/수학	1~6학년, 학기용
– 사회/과학	3~6학년, 학기용
– SET(전과목/국수, 국사과)	1~6학년, 학기용

●똑똑한 하루 시리즈

– 똑똑한 하루 독해	예비초~6학년, 총 14권
– 똑똑한 하루 글쓰기	예비초~6학년, 총 14권
– 똑똑한 하루 어휘	예비초~6학년, 총 14권
– 똑똑한 하루 한자	예비초~6학년, 총 14권
– 똑똑한 하루 수학	1~6학년, 총 12권
– 똑똑한 하루 계산	예비초~6학년, 총 14권
– 똑똑한 하루 도형	예비초~6학년, 총 8권
– 똑똑한 하루 사고력	1~6학년, 총 12권
– 똑똑한 하루 사회/과학	3~6학년, 학기용
– 똑똑한 하루 봄/여름/가을/겨울	1~2학년, 총 8권
– 똑똑한 하루 안전	1~2학년, 총 2권
– 똑똑한 하루 Voca	3~6학년, 학기용
– 똑똑한 하루 Reading	초3~초6, 학기용
– 똑똑한 하루 Grammar	초3~초6, 학기용
– 똑똑한 하루 Phonics	예비초~초등, 총 8권

●독해가 힘이다 시리즈

– 초등 수학도 독해가 힘이다	1~6학년, 학기용
– 초등 문해력 독해가 힘이다 문장제수학편	1~6학년, 총 12권
– 초등 문해력 독해가 힘이다 비문학편	3~6학년

영어 교재

●초등영어 교과서 시리즈

파닉스(1~4단계)	3~6학년, 학년용
영단어(1~4단계)	3~6학년, 학년용

●LOOK BOOK 영단어	3~6학년, 단행본
●원서 읽는 LOOK BOOK 영단어	3~6학년, 단행본

국가수준 시험 대비 교재

●해법 기초학력 진단평가 문제집	2~6학년·중1 신입생, 총 6권

똑똑한 하루 Grammar

천재교육

정답 ✦

4학년 영어
2 B

천재교육

1주 1일

1일 Grammar 문법 쑥쑥

▶정답 1쪽

현재진행형의 <동사+-ing>는 동사에 -ing를 붙이는 규칙에 따라 써야 해요.

jump ➡ jumping
점프하다 / 점프하고 있는

dance ➡ dancing
춤추다 / 춤추고 있는

run ➡ running
달리다 / 달리고 있는

sit, swim은 마지막 자음을 한 번 더 쓰고 -ing를 붙여 진행형을 만들어.

동사에 따라 -ing를 붙이는 방법

동사+-ing	sing ➡ singing	노래하다 → 노래하고 있는
e빼고+-ing	come ➡ coming	오다 → 오고 있는
마지막 자음을 한 번 더 쓰고+-ing	cut ➡ cutting	자르다 → 자르고 있는

14 • 똑똑한 하루 Grammar

Ⓐ 그림을 보고, 알맞은 진행형에 ✓표 하세요.

1. eating ✓
2. siting ☐
3. washhing ☐
4. drinking ✓

Ⓑ 주어진 동사의 알맞은 진행형에 동그라미 하세요.

1. run — runing / (running)
2. dance — (dancing) / danceing
3. swim — swiming / (swimming)
4. make — (making) / makeing

Level 2 B • 15

1일 Grammar 실력 쑥쑥

▶정답 1쪽

Ⓐ 그림을 보고, 알맞은 진행형에 동그라미 하세요.

1. watch+-ing ➡ ((watching)/ watchhing)
2. write+-ing ➡ ((writing)/ writeing)
3. sit+-ing ➡ (siting /(sitting))

Ⓑ 주어진 동사를 진행형으로 바꿔 쓰세요.

1. walk+-ing
walking
2. read+-ing
reading
3. run+-ing
running
4. swim+-ing
swimming

16 • 똑똑한 하루 Grammar

Ⓒ 그림을 보고, 알맞은 진행형을 골라 쓰세요.

1. jumping / (making) ➡ making
2. (sleeping) / washing ➡ sleeping

Ⓓ 그림을 보고, 알맞은 말을 보기에서 골라 진행형으로 바꿔 쓰세요.

보기: eat   dance   cut

1. cutting
자르고 있는
2. dancing
춤추고 있는
3. eating
먹고 있는

Level 2 B • 17

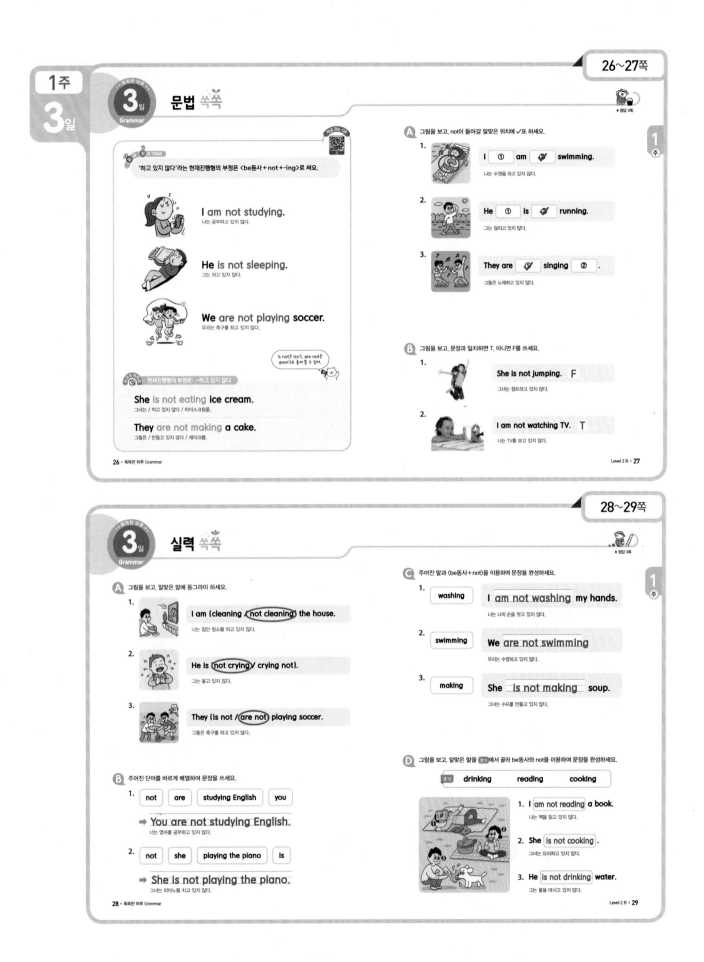

1주 3일

3일 문법 쑥쑥
Grammar

▶정답 3쪽

개념 꼭 익혀요

'하고 있지 않다'라는 현재진행형의 부정은 〈be동사 + not + -ing〉로 써요.

I am not studying.
나는 공부하고 있지 않다.

He is not sleeping.
그는 자고 있지 않다.

We are not playing soccer.
우리는 축구를 하고 있지 않다.

is not은 isn't, are not은 aren't로 줄여 쓸 수 있어.

현재진행형의 부정문: ~하고 있지 않다

She is not eating ice cream.
그녀는 / 먹고 있지 않다 / 아이스크림을.

They are not making a cake.
그들은 / 만들고 있지 않다 / 케이크를.

A 그림을 보고, not이 들어갈 알맞은 위치에 ✔표 하세요.

1. I ① am ✔ swimming.
나는 수영을 하고 있지 않다.

2. He ① is ✔ running.
그는 달리고 있지 않다.

3. They are ✔ singing ② .
그들은 노래하고 있지 않다.

B 그림을 보고, 문장과 일치하면 T, 아니면 F를 쓰세요.

1. She is not jumping. F
그녀는 점프하고 있지 않다.

2. I am not watching TV. T
나는 TV를 보고 있지 않다.

26 · 똑똑한 하루 Grammar

Level 2 B · 27

3일 실력 쑥쑥
Grammar

▶정답 3쪽

A 그림을 보고, 알맞은 말에 동그라미 하세요.

1. I am (cleaning / not cleaning) the house.
나는 집안 청소를 하고 있지 않다.

2. He is (not crying / crying not).
그는 울고 있지 않다.

3. They (is not / are not) playing soccer.
그들은 축구를 하고 있지 않다.

B 주어진 단어를 바르게 배열하여 문장을 쓰세요.

1. not | are | studying English | you

➡ You are not studying English.
너는 영어를 공부하고 있지 않다.

2. not | she | playing the piano | is

➡ She is not playing the piano.
그녀는 피아노를 치고 있지 않다.

C 주어진 말과 〈be동사 + not〉을 이용하여 문장을 완성하세요.

1. washing | I am not washing my hands.
나는 나의 손을 씻고 있지 않다.

2. swimming | We are not swimming
우리는 수영하고 있지 않다.

3. making | She is not making soup.
그녀는 수프를 만들고 있지 않다.

D 그림을 보고, 알맞은 말을 보기에서 골라 be동사와 not을 이용하여 문장을 완성하세요.

보기 | drinking | reading | cooking

1. I am not reading a book.
나는 책을 읽고 있지 않다.

2. She is not cooking .
그녀는 요리하고 있지 않다.

3. He is not drinking water.
그는 물을 마시고 있지 않다.

28 · 똑똑한 하루 Grammar

Level 2 B · 29

1주
4일

4일 Grammar 문법 쏙쏙

현재진행형의 의문문은 주어와 be동사의 자리를 바꿔 써요.

Is he watching TV?
그는 TV를 보고 있니?
- Yes, he is.
응, 그래.

Are you eating lunch?
너는 점심을 먹고 있니?
- No, I'm not.
아니, 그렇지 않아.

<be동사+주어+동사+-ing ~?>로
지금 하고 있는 일을 물으면 돼.

현재진행형의 의문문: ~하고 있니?

Is she coming here?
그녀는 오고 있니 / 여기로?

Yes, she is.
응, / 그래.
No, she isn't.
아니, / 그렇지 않아.

32 • 똑똑한 하루 Grammar

Ⓐ 그림을 보고, 알맞은 말에 ✓표 하세요.

1. ☐ Do ✓Are you cooking?
너는 요리를 하고 있니?

2. ✓Is ☐ Are she crying?
그녀는 울고 있니?

3. Are they ☐ sing ✓ singing ?
그들은 노래를 하고 있니?

Ⓑ 다음을 읽고, 알맞은 말에 동그라미 하세요.

1. Is you / (Are you) running?
2. (Is he) / Are he sleeping?
3. (Is she) / Does she walking?
4. Am they / (Are they) flying?

Level 2 B • 33

4일 Grammar 실력 쏙쏙

Ⓐ 그림을 보고, 알맞은 말에 동그라미 하세요.

1. (Does / (Is)) she drinking juice?
그녀는 주스를 마시고 있니?

2. (Is / (Are)) you reading a book?
너는 책을 읽고 있니?

3. Is (making he / (he making)) pizza?
그는 피자를 만들고 있니?

Ⓑ 그림을 보고, 주어진 단어와 be동사를 이용하여 대화를 완성하세요.

1. ride
A Is she riding a bike?
그녀는 자전거를 타고 있니?
B Yes, she is .
응, 그래.

2. play
A Are they playing soccer?
그들은 축구를 하고 있니?
B No, they aren't .
아니, 그렇지 않아.

34 • 똑똑한 하루 Grammar

Ⓒ 주어진 단어와 be동사를 이용하여 문장을 완성하세요.

1. writing
Is he writing a card?
그는 카드를 쓰고 있니?

2. running
Are they running ?
그들은 달리고 있니?

3. coming
Is she coming here?
그녀는 여기로 오고 있니?

Ⓓ 그림을 보고, 알맞은 말을 보기에서 골라 be동사를 이용하여 문장을 완성하세요.

보기 eating sleeping studying

1. Is he studying?
그는 공부하고 있니?

2. Is she sleeping?
그녀는 자고 있니?

3. Are they eating cookies?
그들은 쿠키를 먹고 있니?

Level 2 B • 35

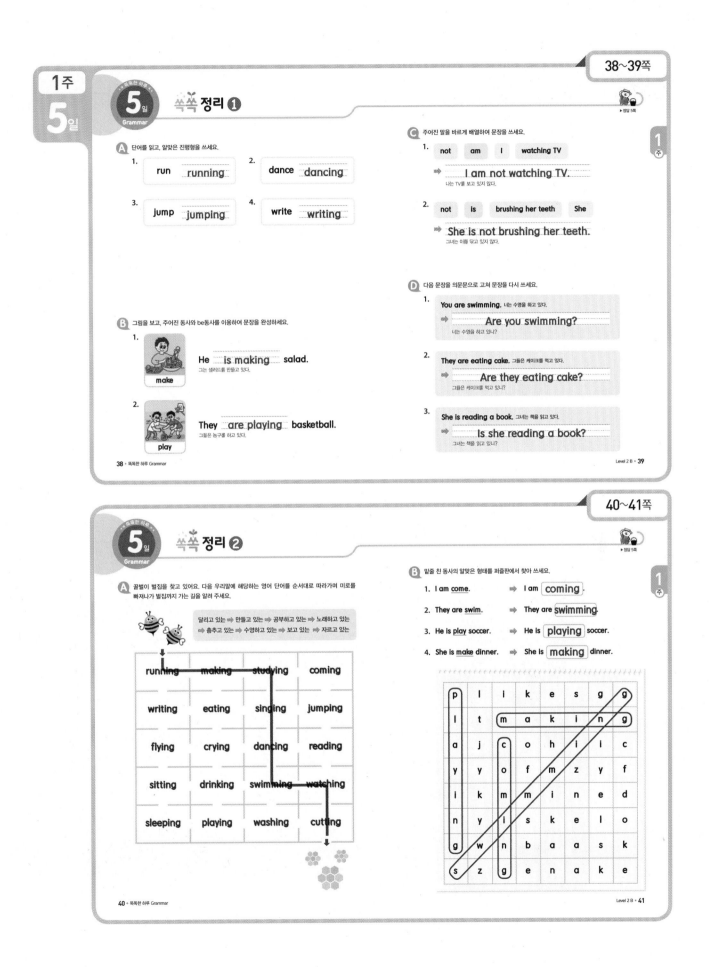

1주
5일

5일 Grammar 쏙쏙 정리 ❶

▶정답 5쪽

Ⓐ 단어를 읽고, 알맞은 진행형을 쓰세요.

1. run **running**

2. dance **dancing**

3. jump **jumping**

4. write **writing**

Ⓑ 그림을 보고, 주어진 동사와 be동사를 이용하여 문장을 완성하세요.

1. make
He **is making** salad.
그는 샐러드를 만들고 있다.

2. play
They **are playing** basketball.
그들은 농구를 하고 있다.

Ⓒ 주어진 말을 바르게 배열하여 문장을 쓰세요.

1. | not | am | I | watching TV |

➡ **I am not watching TV.**
나는 TV를 보고 있지 않다.

2. | not | is | brushing her teeth | She |

➡ **She is not brushing her teeth.**
그녀는 이를 닦고 있지 않다.

Ⓓ 다음 문장을 의문문으로 고쳐 문장을 다시 쓰세요.

1. You are swimming. 너는 수영을 하고 있다.

➡ **Are you swimming?**
너는 수영을 하고 있니?

2. They are eating cake. 그들은 케이크를 먹고 있다.

➡ **Are they eating cake?**
그들은 케이크를 먹고 있니?

3. She is reading a book. 그녀는 책을 읽고 있다.

➡ **Is she reading a book?**
그녀는 책을 읽고 있니?

38 • 똑똑한 하루 Grammar

Level 2 B • 39

5일 Grammar 쏙쏙 정리 ❷

▶정답 5쪽

Ⓐ 꿀벌이 벌집을 찾고 있어요. 다음 우리말에 해당하는 영어 단어를 순서대로 따라가며 미로를 빠져나가 벌집까지 가는 길을 알려 주세요.

달리고 있는 ➡ 만들고 있는 ➡ 공부하고 있는 ➡ 노래하고 있는 ➡ 춤추고 있는 ➡ 수영하고 있는 ➡ 보고 있는 ➡ 자르고 있는

running	making	studying	coming
writing	eating	singing	jumping
flying	crying	dancing	reading
sitting	drinking	swimming	watching
sleeping	playing	washing	cutting

Ⓑ 밑줄 친 동사의 알맞은 형태를 퍼즐판에서 찾아 쓰세요.

1. I am come. ➡ I am **coming**.

2. They are swim. ➡ They are **swimming**.

3. He is play soccer. ➡ He is **playing** soccer.

4. She is make dinner. ➡ She is **making** dinner.

p	l	i	k	e	s	g	g
l	t	m	a	k	i	n	g
a	j	c	o	h	i	i	c
y	y	o	f	m	z	y	f
i	k	m	m	i	n	e	d
n	y	i	s	k	e	l	o
g	w	n	b	a	a	s	k
s	z	g	e	n	a	k	e

40 • 똑똑한 하루 Grammar

Level 2 B • 41

정답 • **5**

1주
특강

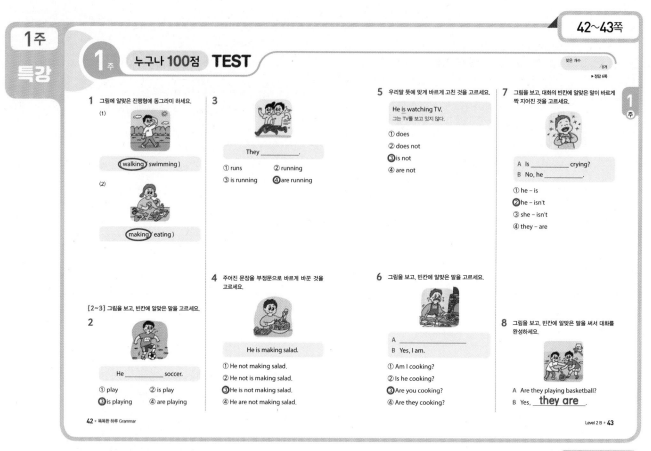

1주 누구나 100점 **TEST**

맞은 개수   8개
▶ 정답 6쪽

1 그림에 알맞은 진행형에 동그라미 하세요.

(1)
(**walking** / swimming)

(2)
(**making** / eating)

[2~3] 그림을 보고, 빈칸에 알맞은 말을 고르세요.

2

He _____ soccer.

① play   ② is play
❸ is playing   ④ are playing

3

They _____.

① runs   ② running
③ is running   ❹ are running

4 주어진 문장을 부정문으로 바르게 바꾼 것을 고르세요.

He is making salad.

① He not making salad.
② He not is making salad.
❸ He is not making salad.
④ He are not making salad.

5 우리말 뜻에 맞게 바르게 고친 것을 고르세요.

He is watching TV.
그는 TV를 보고 있지 않다.

① does
② does not
❸ is not
④ are not

6 그림을 보고, 빈칸에 알맞은 말을 고르세요.

A _____
B Yes, I am.

① Am I cooking?
② Is he cooking?
❸ Are you cooking?
④ Are they cooking?

7 그림을 보고, 대화의 빈칸에 알맞은 말이 바르게 짝 지어진 것을 고르세요.

A Is _____ crying?
B No, he _____.

① he – is
❷ he – isn't
③ she – isn't
④ they – are

8 그림을 보고, 빈칸에 알맞은 말을 써서 대화를 완성하세요.

A Are they playing basketball?
B Yes, __they are__ .

42 • 똑똑한 하루 Grammar   Level 2 B • 43

1주 특강
Brain Game Zone   창의 · 융합 · 코딩 ❶

정답 6쪽

🎲 배운 내용을 떠올리며 말판 놀이를 해 보세요.

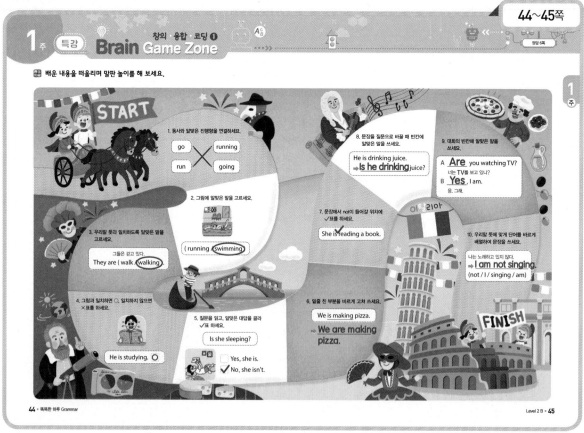

START

1. 동사와 알맞은 진행형을 연결하세요.
go — running
run — going

2. 그림에 알맞은 말을 고르세요.
(running / **swimming**)

3. 우리말 뜻과 일치하도록 알맞은 말을 고르세요.
그들은 걷고 있다.
They are (walk / **walking**).

4. 그림과 일치하면 ○, 일치하지 않으면 ✕표를 하세요.
He is studying. ○

5. 질문을 읽고, 알맞은 대답을 골라 ✔표 하세요.
Is she sleeping?
☐ Yes, she is.
✔ No, she isn't.

6. 밑줄 친 부분을 바르게 고쳐 쓰세요.
We is making pizza.
➡ **We are making pizza.**

7. 문장에서 not이 들어갈 위치에 ✔표를 하세요.
She is ✔ reading a book.

8. 문장을 질문으로 바꿀 때 빈칸에 알맞은 말을 쓰세요.
He is drinking juice.
➡ **Is he drinking** juice?

9. 대화의 빈칸에 알맞은 말을 쓰세요.
A **Are** you watching TV?
  너는 TV를 보고 있니?
B **Yes** , I am.
  응, 그래.

10. 우리말에 맞게 단어를 바르게 배열하여 문장을 쓰세요.
나는 노래하고 있지 않다.
➡ **I am not singing.**
(not / I / singing / am)

FINISH

44 • 똑똑한 하루 Grammar   Level 2 B • 45

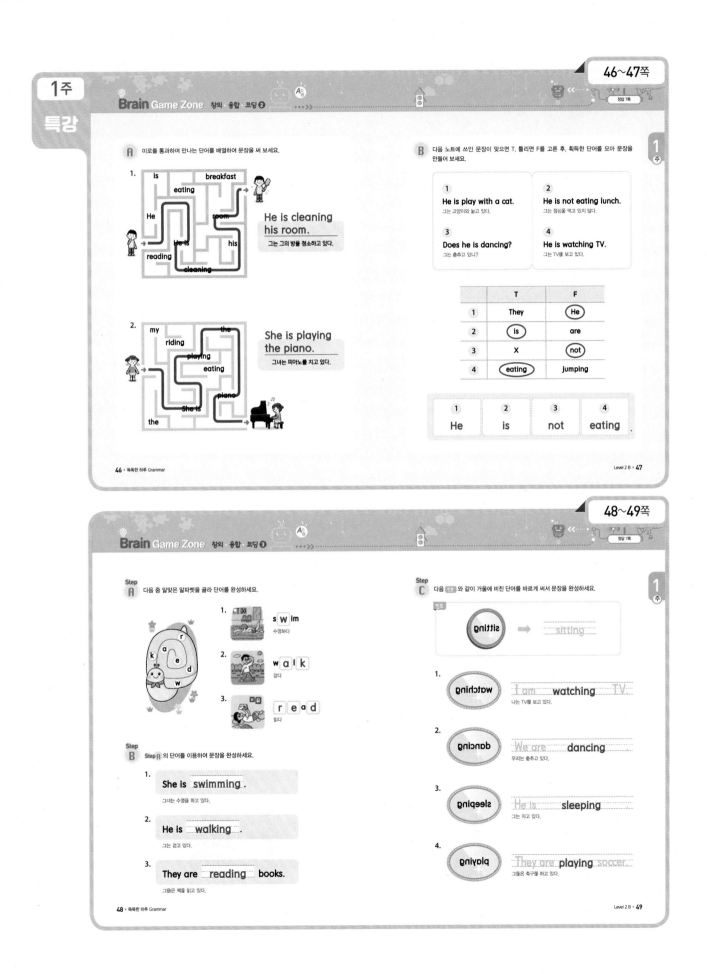

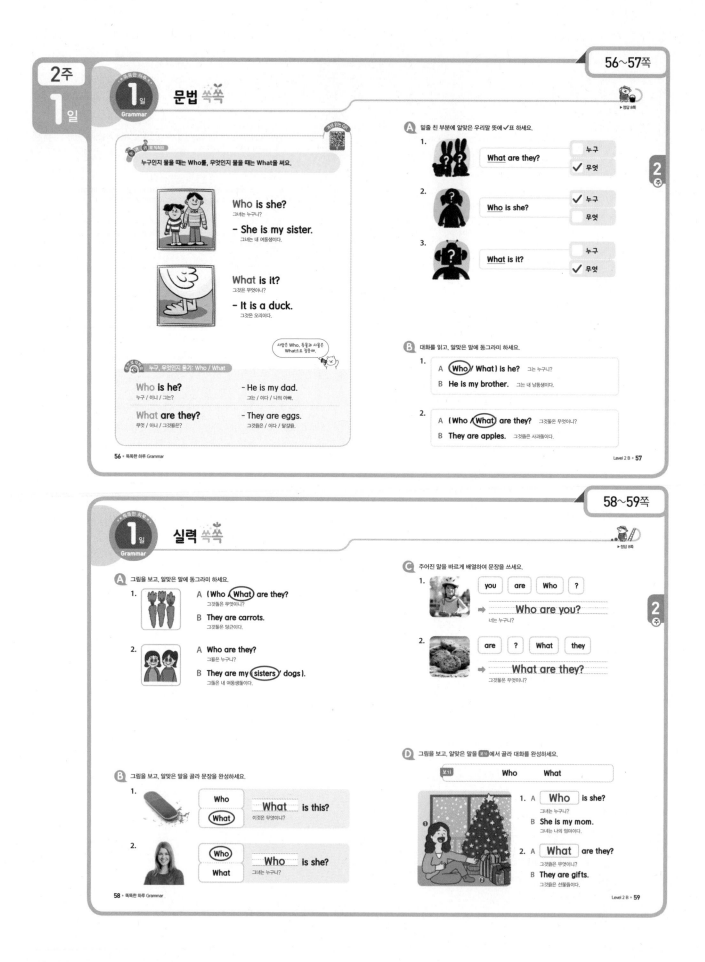

56~57쪽

2주 1일

1일 Grammar **문법 쏙쏙**

▶ 정답 8쪽

누구인지 물을 때는 Who를, 무엇인지 물을 때는 What을 써요.

Who is she?
그녀는 누구니?
- She is my sister.
그녀는 내 여동생이다.

What is it?
그것은 무엇이니?
- It is a duck.
그것은 오리이다.

사람은 Who, 동물과 사물은 What으로 질문해요.

누구, 무엇인지 묻기: Who / What

Who is he? - He is my dad.
누구 / 이니 / 그는? 그는 / 이다 / 나의 아빠.

What are they? - They are eggs.
무엇 / 이니 / 그것들은? 그것들은 / 이다 / 달걀들.

A 밑줄 친 부분에 알맞은 우리말 뜻에 ✔표 하세요.

1. What are they? ☐ 누구 ✔ 무엇

2. Who is she? ✔ 누구 ☐ 무엇

3. What is it? ☐ 누구 ✔ 무엇

B 대화를 읽고, 알맞은 말에 동그라미 하세요.

1. A (Who)/ What) is he? 그는 누구니?
   B He is my brother. 그는 내 남동생이다.

2. A (Who /(What) are they? 그것들은 무엇이니?
   B They are apples. 그것들은 사과들이다.

56 • 똑똑한 하루 Grammar

Level 2 B • 57

58~59쪽

1일 Grammar **실력 쏙쏙**

▶ 정답 8쪽

A 그림을 보고, 알맞은 말에 동그라미 하세요.

1. A (Who /(What) are they? 그것들은 무엇이니?
   B They are carrots. 그것들은 당근이다.

2. A Who are they? 그들은 누구니?
   B They are my (sisters)/ dogs). 그들은 내 여동생들이다.

B 그림을 보고, 알맞은 말을 골라 문장을 완성하세요.

1. Who / What → **What** is this? 이것은 무엇이니?

2. Who / What → **Who** is she? 그녀는 누구니?

C 주어진 말을 바르게 배열하여 문장을 쓰세요.

1. you / are / Who / ? → **Who are you?** 너는 누구니?

2. are / ? / What / they → **What are they?** 그것들은 무엇이니?

D 그림을 보고, 알맞은 말을 보기에서 골라 대화를 완성하세요.

보기 Who What

1. A **Who** is she? 그녀는 누구니?
   B She is my mom. 그녀는 나의 엄마이다.

2. A **What** are they? 그것들은 무엇이니?
   B They are gifts. 그것들은 선물들이다.

58 • 똑똑한 하루 Grammar

Level 2 B • 59

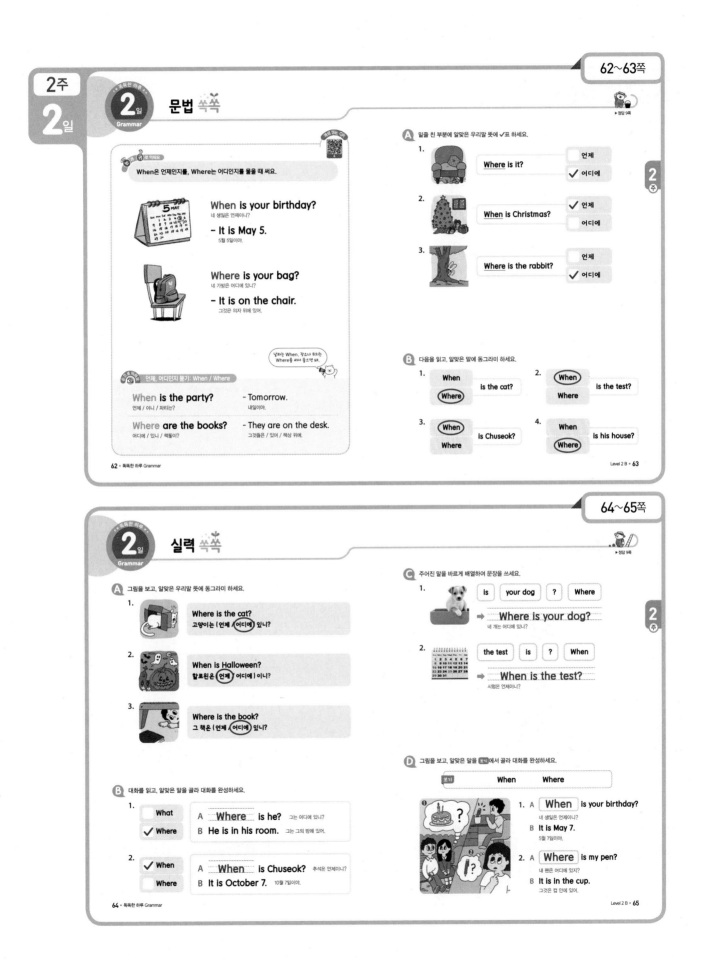

2주 2일 / 2일 Grammar 문법 쏙쏙

▶ 정답 9쪽

When은 언제인지를, Where는 어디인지를 물을 때 써요.

When is your birthday?
네 생일은 언제이니?

– It is May 5.
5월 5일이야.

Where is your bag?
네 가방은 어디에 있니?

– It is on the chair.
그것은 의자 위에 있어.

날짜는 When, 장소나 위치는 Where를 써서 물으면 돼요.

언제, 어디인지 묻기: When / Where

When is the party? — Tomorrow.
언제 / 이니 / 파티는? 내일이야.

Where are the books? — They are on the desk.
어디에 / 있니 / 책들이? 그것들은 / 있어 / 책상 위에.

62 • 똑똑한 하루 Grammar

A 밑줄 친 부분에 알맞은 우리말 뜻에 ✓표 하세요.

1. Where is it?
   - 언제
   - ✓ 어디에

2. When is Christmas?
   - ✓ 언제
   - 어디에

3. Where is the rabbit?
   - 언제
   - ✓ 어디에

B 다음을 읽고, 알맞은 말에 동그라미 하세요.

1. (When) / Where is the cat?

2. (When) / Where is the test?

3. (When) / Where is Chuseok?

4. When / (Where) is his house?

Level 2 B • 63

2일 Grammar 실력 쏙쏙

▶ 정답 9쪽

A 그림을 보고, 알맞은 우리말 뜻에 동그라미 하세요.

1. Where is the cat?
   고양이는 (언제 / (어디에)) 있니?

2. When is Halloween?
   할로윈은 ((언제) / 어디에) 이니?

3. Where is the book?
   그 책은 (언제 / (어디에)) 있니?

B 대화를 읽고, 알맞은 말을 골라 대화를 완성하세요.

1.
   - What
   - ✓ Where
   A ___Where___ is he? 그는 어디에 있니?
   B He is in his room. 그는 그의 방에 있어.

2.
   - ✓ When
   - Where
   A ___When___ is Chuseok? 추석은 언제이니?
   B It is October 7. 10월 7일이야.

C 주어진 말을 바르게 배열하여 문장을 쓰세요.

1. is / your dog / ? / Where
   ➡ ___Where is your dog?___
   네 개는 어디에 있니?

2. the test / is / ? / When
   ➡ ___When is the test?___
   시험은 언제이니?

D 그림을 보고, 알맞은 말을 보기에서 골라 대화를 완성하세요.

보기 When   Where

1. A ___When___ is your birthday?
   네 생일은 언제이니?
   B It is May 7.
   5월 7일이야.

2. A ___Where___ is my pen?
   내 펜은 어디에 있지?
   B It is in the cup.
   그것은 컵 안에 있어.

64 • 똑똑한 하루 Grammar

Level 2 B • 65

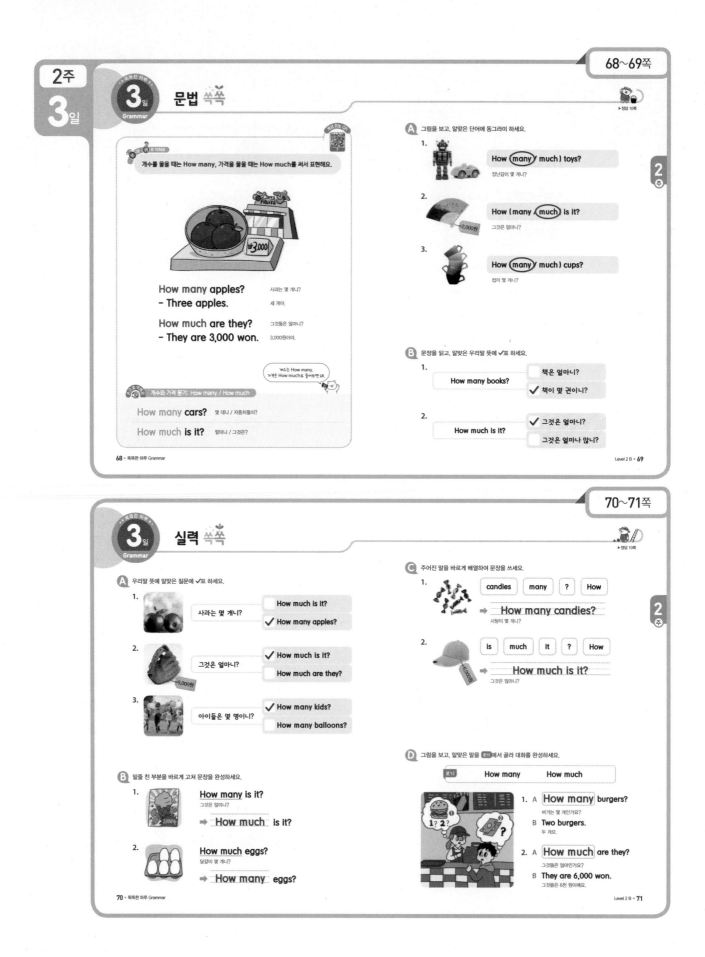

2주
3일

3일
Grammar

문법 쑥쑥

68~69쪽

▶정답 10쪽

개수를 물을 때는 How many, 가격을 물을 때는 How much를 써서 표현해요.

TIME'S FRUITS

₩3,000

How many apples?
- Three apples.

How much are they?
- They are 3,000 won.

사과는 몇 개니?
세 개야.
그것들은 얼마니?
3,000원이야.

개수는 How many,
가격은 How much로 물어보면 돼요.

개수와 가격 묻기: How many / How much

How many **cars**? 몇 대니 / 자동차들이?

How much **is it**? 얼마니 / 그것은?

68 • 똑똑한 하루 Grammar

Ⓐ 그림을 보고, 알맞은 단어에 동그라미 하세요.

1. How (many) much) toys?
장난감이 몇 개니?

2. How (many / (much)) is it?
그것은 얼마니?

3. How (many) much) cups?
컵이 몇 개니?

Ⓑ 문장을 읽고, 알맞은 우리말 뜻에 ✓표 하세요.

1. How many books?
　책은 얼마니?
✓ 책이 몇 권이니?

2. How much is it?
✓ 그것은 얼마니?
　그것은 얼마나 많으니?

Level 2 B • 69

3일
Grammar

실력 쑥쑥

70~71쪽

▶정답 10쪽

Ⓐ 우리말 뜻에 알맞은 질문에 ✓표 하세요.

1. 사과는 몇 개니?
　How much is it?
✓ How many apples?

2. 그것은 얼마니?
✓ How much is it?
　How much are they?

3. 아이들은 몇 명이니?
✓ How many kids?
　How many balloons?

Ⓑ 밑줄 친 부분을 바르게 고쳐 문장을 완성하세요.

1. How many is it?
그것은 얼마니?
➡ How much is it?

2. How much eggs?
달걀이 몇 개니?
➡ How many eggs?

70 • 똑똑한 하루 Grammar

Ⓒ 주어진 말을 바르게 배열하여 문장을 쓰세요.

1. candies　many　?　How
➡ How many candies?
사탕이 몇 개니?

2. is　much　it　?　How
➡ How much is it?
그것은 얼마니?

Ⓓ 그림을 보고, 알맞은 말을 보기에서 골라 대화를 완성하세요.

보기　How many　How much

1. A How many burgers?
버거는 몇 개인가요?
B Two burgers.
두 개요.

2. A How much are they?
그것들은 얼마인가요?
B They are 6,000 won.
그것들은 6천 원이에요.

Level 2 B • 71

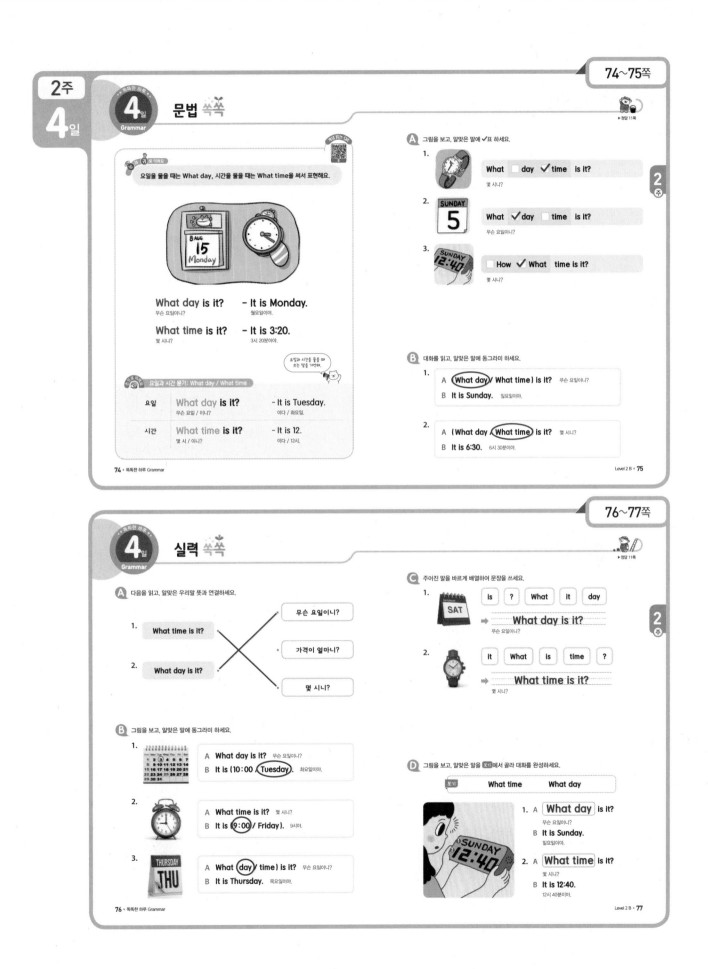

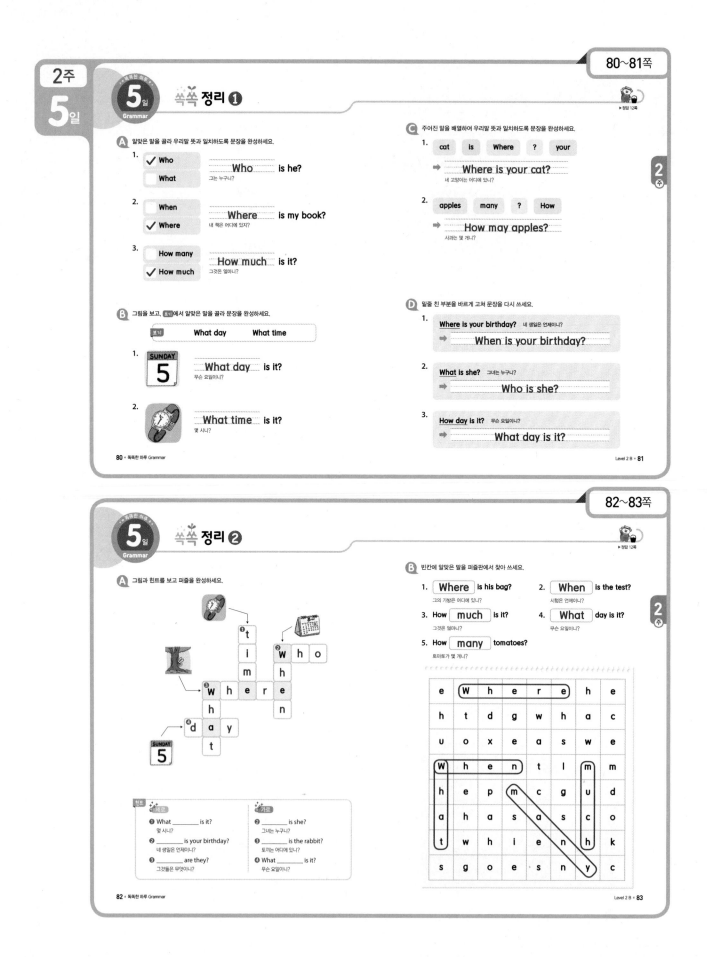

2주 5일

5일 쏙쏙 정리 ❶

▶정답 12쪽

A 알맞은 말을 골라 우리말 뜻과 일치하도록 문장을 완성하세요.

1. ✓ Who / What
   __Who__ is he?
   그는 누구니?

2. When / ✓ Where
   __Where__ is my book?
   내 책은 어디에 있지?

3. How many / ✓ How much
   __How much__ is it?
   그것은 얼마니?

B 그림을 보고, 보기 에서 알맞은 말을 골라 문장을 완성하세요.

보기 What day What time

1. SUNDAY 5
   __What day__ is it?
   무슨 요일이니?

2. [watch]
   __What time__ is it?
   몇 시니?

C 주어진 말을 배열하여 우리말 뜻과 일치하도록 문장을 완성하세요.

1. cat | is | Where | ? | your
   ➡ __Where is your cat?__
   네 고양이는 어디에 있니?

2. apples | many | ? | How
   ➡ __How may apples?__
   사과는 몇 개니?

D 밑줄 친 부분을 바르게 고쳐 문장을 다시 쓰세요.

1. **Where is your birthday?** 네 생일은 언제이니?
   ➡ __When is your birthday?__

2. **What is she?** 그녀는 누구니?
   ➡ __Who is she?__

3. **How day is it?** 무슨 요일이니?
   ➡ __What day is it?__

80 • 똑똑한 하루 Grammar

Level 2 B • 81

5일 쏙쏙 정리 ❷

▶정답 12쪽

A 그림과 힌트를 보고 퍼즐을 완성하세요.

❶ t i m e
❷ w h o
❸ w h e r e
   h   n
❹ d a y
   t

힌트
세로
❶ What ____ is it? 몇 시니?
❷ ____ is your birthday? 네 생일은 언제이니?
❸ ____ are they? 그것들은 무엇이니?

가로
❷ ____ is she? 그녀는 누구니?
❸ ____ is the rabbit? 토끼는 어디에 있니?
❹ What ____ is it? 무슨 요일이니?

B 빈칸에 알맞은 말을 퍼즐판에서 찾아 쓰세요.

1. **Where** is his bag?
   그의 가방은 어디에 있니?
2. **When** is the test?
   시험은 언제이니?
3. How **much** is it?
   그것은 얼마니?
4. **What** day is it?
   무슨 요일이니?
5. How **many** tomatoes?
   토마토가 몇 개니?

e	W	h	e	r	e	h	e
h	t	d	g	w	h	a	c
u	o	x	e	a	s	w	e
W	h	e	n	t	l	m	m
h	e	p	m	c	g	u	d
a	h	a	s	a	s	c	o
t	w	h	i	e	n	h	k
s	g	o	e	s	n	y	c

82 • 똑똑한 하루 Grammar

Level 2 B • 83

2주 특강

2주 누구나 100점 TEST

맞은 개수
8개
▶정답 13쪽

1 그림을 보고, 빈칸에 알맞은 단어를 고르세요.

_____ are they?

① Who　　② What
③ When　　④ How

[3~4] 다음 대답에 대한 질문으로 알맞은 것을 고르세요.

3

It is May 5.

① Who is he?
② What is it?
③ Where is your book?
④ When is your birthday?

2 그림을 보고, 질문에 알맞은 대답을 고르세요.

A Who is she?
B _____

① It is my dog.
② He is my dad.
③ She is my sister.
④ They are dogs.

4

It is under the chair.

① Who is he?
② What are they?
③ Where is your dog?
④ When is Christmas?

5 우리말에 맞게 밑줄 친 부분을 바르게 고친 것을 고르세요.

How many are they?
그것들은 얼마니?

① Where
② What day
③ What time
④ How much

6 그림을 보고, 빈칸에 들어갈 말로 알맞은 것을 고르세요.

A _____
B Five.

① How many eggs?
② How much is it?
③ What time is it?
④ What day is it?

7 그림을 보고, 빈칸에 알맞은 말이 바르게 짝지어진 것을 고르세요.

A _____ is it?
B It is _____.

① What time – 2:20
② What time – 3:20
③ What day – Friday
④ What day – Wednesday

8 그림을 보고, 빈칸에 알맞은 말을 써서 대화를 완성하세요.

SUNDAY
5

A What day is it?
B It is Sunday.

84 • 똑똑한 하루 Grammar

Level 2 B • 85

2주 특강 Brain Game Zone

창의 · 융합 · 코딩 ❶

정답 13쪽

📖 배운 내용을 떠올리며 말판 놀이를 해 보세요.

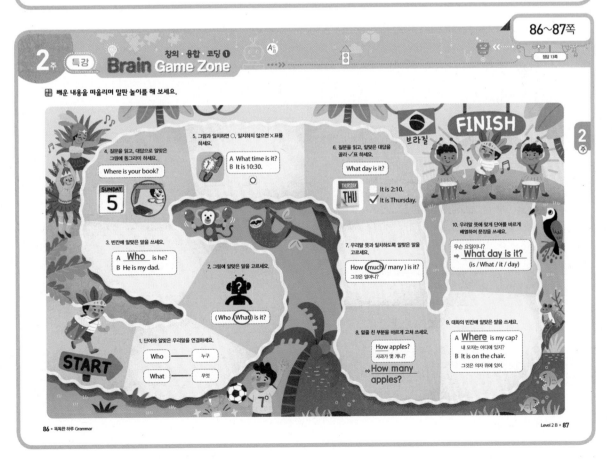

4. 질문을 읽고, 대답으로 알맞은 그림에 동그라미 하세요.

Where is your book?

5. 그림과 일치하면 ○, 일치하지 않으면 ✕표를 하세요.

A What time is it?
B It is 10:30.
○

6. 질문을 읽고, 알맞은 대답을 골라 ✓표 하세요.

What day is it?

☐ It is 2:10.
☑ It is Thursday.

3. 빈칸에 알맞은 말을 쓰세요.

A Who is he?
B He is my dad.

7. 우리말 뜻과 일치하도록 알맞은 말을 고르세요.

How (much / many) is it?
그것은 얼마니?

10. 우리말 뜻에 맞게 단어를 바르게 배열하여 문장을 완성하세요.

무슨 요일이니?
➡ What day is it?
(is / What / it / day)

2. 그림에 알맞은 말을 고르세요.

(Who / What) is it?

8. 밑줄 친 부분을 바르게 고쳐 쓰세요.

How apples?
사과가 몇 개니?
➡ How many apples?

9. 대화의 빈칸에 알맞은 말을 쓰세요.

A Where is my cap?
내 모자는 어디에 있지?
B It is on the chair.
그것은 의자 위에 있어.

1. 단어와 알맞은 우리말을 연결하세요.

Who —— 누구
What —— 무엇

START
FINISH
브라질

86 • 똑똑한 하루 Grammar

Level 2 B • 87

3주
1일

1일 문법 쏙쏙

▶정답 15쪽

ㅣ로 익히요

부사는 보통 -ly의 모양으로, 동사 등을 꾸며 문장의 의미를 명확하게 해요.

She walks slowly.
그녀는 느리게 걷는다.

They smile happily.
그들은 행복하게 미소 짓는다.

부사는 '느리게', '행복하게'처럼
동작의 의미를 명확하게 해.

형용사+-ly: 부사

형용사+-ly	slow - slowly	kind - kindly
	느린 느리게	친절한 친절하게
형용사+-ily (자음+y)	busy - busily	easy - easily
	바쁜 바쁘게	쉬운 쉽게

98 · 똑똑한 하루 Grammar

A 단어를 읽고, 알맞은 부사의 모양에 ✓표 하세요.

1. busy [ ] busyly / [✓] busily
2. kind [✓] kindly / [ ] kindily
3. quick [✓] quickly / [ ] quickily
4. easy [ ] easyly / [✓] easily

B 다음 문장에서 부사를 찾아 동그라미 하세요.

1. She talks (loudly).
2. He cries (sadly).
3. They move (slowly).
4. We sing (happily).

Level 2 B · 99

1일 실력 쏙쏙

▶정답 15쪽

A 그림을 보고, 알맞은 말에 ✓표 하세요.

1. She cries [ ] sad [✓] sadly .
그녀는 슬프게 운다.

2. They move [ ] quick [✓] quickly .
그들은 빠르게 움직인다.

3. He speaks [ ] quiet [✓] quietly .
그는 조용하게 말한다.

B 그림을 보고, 알맞은 말을 골라 문장을 완성하세요.

1. happy / (happily)
She dances **happily** .
그녀는 행복하게 춤춘다.

2. slow / (slowly)
They move **slowly** .
그것들은 천천히 움직인다.

C 주어진 말을 알맞은 형태로 바꿔 쓰세요.

1. easy
They make pizza **easily** .
그들은 쉽게 피자를 만든다.

2. strong
He pushes a chair **strongly** .
그는 강하게 의자를 민다.

3. busy
She moves **busily** .
그녀는 바쁘게 움직인다.

D 그림을 보고, 알맞은 말을 보기에서 골라 문장을 완성하세요.

보기: loudly / sadly / happily

1. He smiles **happily** .
그는 행복하게 미소 짓는다.

2. She speaks **loudly** .
그녀는 크게 말한다.

3. He cries **sadly** .
그는 슬프게 운다.

100 · 똑똑한 하루 Grammar

Level 2 B · 101

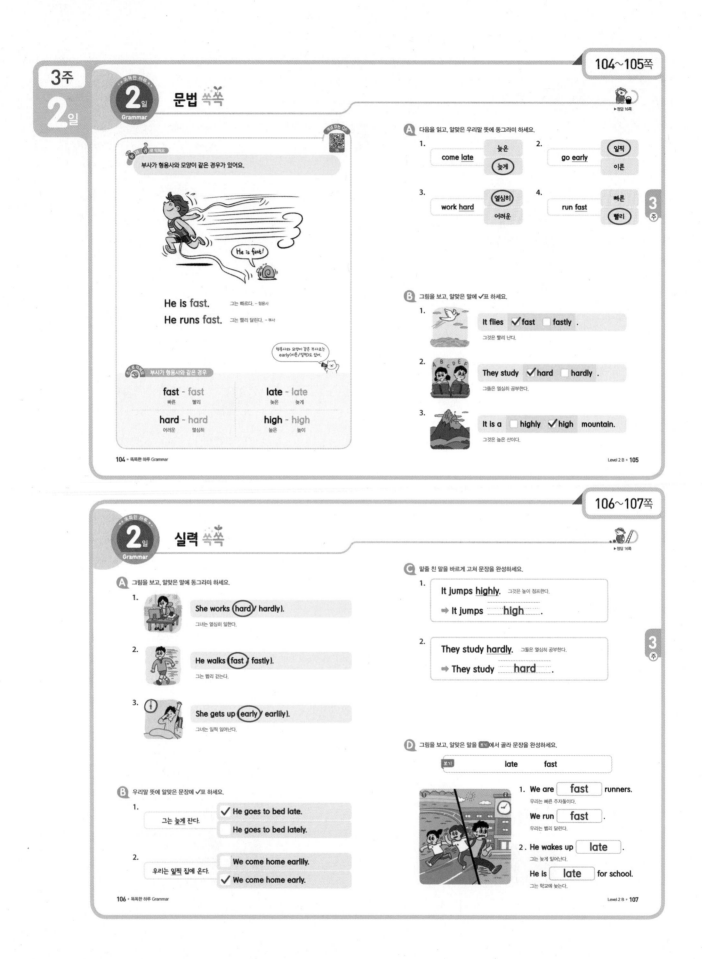

3주 3일

3일 문법 쏙쏙

▶정답 17쪽

사람, 동물, 사물의 위치에 따라 in, on, under를 구별해서 써요.

It is in the box.
그것은 상자 안에 있다.

It is on the box.
그것은 상자 위에 있다.

It is under the box.
그것은 상자 아래에 있다.

위치를 나타내는 in, on, under

in (~ 안에)	It is in the bottle.	그것은 / 있다 / 병 안에.
on (~ 위에)	It is on the bottle.	그것은 / 있다 / 병 위에.
under (~ 아래에)	It is under the bottle.	그것은 / 있다 / 병 아래에.

A 그림을 보고, 알맞은 말에 동그라미 하세요.

1. ~ 위에 / (on)
2. (in) / ~ 안에
3. ~ 안에 / in, on
4. ~ 아래에 / on, (under)

B 다음을 읽고, 알맞은 우리말 뜻에 ✓표 하세요.

1. on the desk
✓ 책상 위에 / 책상 안에

2. in the bag
가방 위에 / ✓ 가방 안에

3. under the tree
나무 위에 / ✓ 나무 아래에

4. on the chair
✓ 의자 위에 / 의자 아래에

3일 실력 쏙쏙

▶정답 17쪽

A 그림을 보고, 알맞은 말에 동그라미 하세요.

1. He is (in / on) the bed.
그는 침대 위에 있다.

2. It is (on / under) the desk.
그것은 책상 아래에 있다.

3. They are (in / under) the basket.
그것들은 바구니 안에 있다.

B 그림을 보고, 알맞은 말을 골라 문장을 완성하세요.

1. in / on
It is __in__ the hat.
그것은 모자 안에 있다.

2. on / under
It is __under__ the sofa.
그것은 소파 아래에 있다.

C 주어진 말과 in, on, under를 이용하여 문장을 완성하세요.

1. the bag
It is __on the bag__.
그것은 가방 위에 있다.

2. the chair
It is under the chair.
그것은 의자 아래에 있다.

3. the room
He is __in the room__.
그는 방 안에 있다.

D 그림을 보고, 알맞은 말을 보기에서 골라 문장을 완성하세요.

보기   in   on   under

1. They are __on__ the sofa.
그것들은 소파 위에 있다.

2. They are __in__ the basket.
그것들은 바구니 안에 있다.

3. It is __under__ the table.
그것은 탁자 아래에 있다.

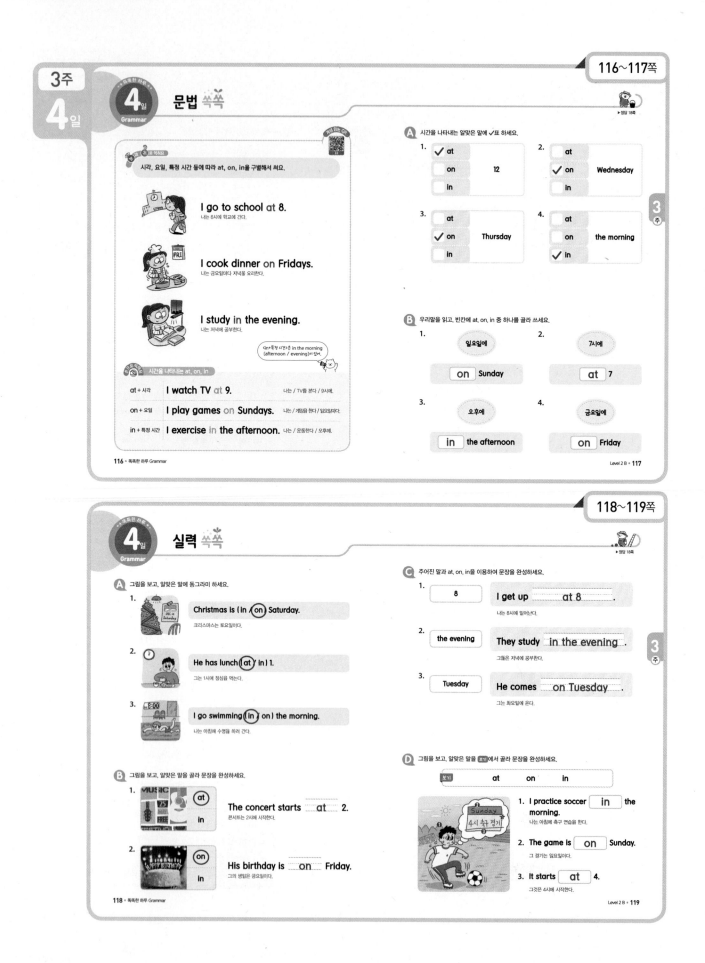

똑똑한 하루
Grammar

3주 4일

4일 Grammar 문법 쏙쏙

▶ 정답 18쪽

개념 (기)로 익혔다요

시각, 요일, 특정 시간 등에 따라 at, on, in을 구별해서 써요.

I go to school at 8.
나는 8시에 학교에 간다.

I cook dinner on Fridays.
나는 금요일마다 저녁을 요리한다.

I study in the evening.
나는 저녁에 공부한다.

<in+특정 시간>은 in the morning (afternoon / evening)이 맞다.

시간을 나타내는 at, on, in

at + 시각	I watch TV at 9.	나는 / TV를 본다 / 9시에.
on + 요일	I play games on Sundays.	나는 / 게임을 한다 / 일요일마다.
in + 특정 시간	I exercise in the afternoon.	나는 / 운동한다 / 오후에.

116 • 똑똑한 하루 Grammar

A 시간을 나타내는 알맞은 말에 ✓표 하세요.

1.
☐ at
✓ on 12
☐ in

2.
☐ at
✓ on Wednesday
☐ in

3.
☐ at
✓ on Thursday
☐ in

4.
☐ at
☐ on the morning
✓ in

B 우리말을 읽고, 빈칸에 at, on, in 중 하나를 골라 쓰세요.

1. 일요일에
on Sunday

2. 7시에
at 7

3. 오후에
in the afternoon

4. 금요일에
on Friday

Level 2 B • 117

4일 Grammar 실력 쏙쏙

▶ 정답 18쪽

A 그림을 보고, 알맞은 말에 동그라미 하세요.

1. Christmas is (in / on) Saturday.
크리스마스는 토요일이다.

2. He has lunch (at / in) 1.
그는 1시에 점심을 먹는다.

3. I go swimming (in / on) the morning.
나는 아침에 수영을 하러 간다.

B 그림을 보고, 알맞은 말을 골라 문장을 완성하세요.

1. (at / in)
The concert starts at 2.
콘서트는 2시에 시작한다.

2. (on / in)
His birthday is on Friday.
그의 생일은 금요일이다.

118 • 똑똑한 하루 Grammar

C 주어진 말과 at, on, in을 이용하여 문장을 완성하세요.

1. 8
I get up at 8 .
나는 8시에 일어난다.

2. the evening
They study in the evening .
그들은 저녁에 공부한다.

3. Tuesday
He comes on Tuesday .
그는 화요일에 온다.

D 그림을 보고, 알맞은 말을 보기에서 골라 문장을 완성하세요.

보기 at on in

1. I practice soccer in the morning.
나는 아침에 축구 연습을 한다.

2. The game is on Sunday.
그 경기는 일요일이다.

3. It starts at 4.
그것은 4시에 시작한다.

Level 2 B • 119

18 • 정답

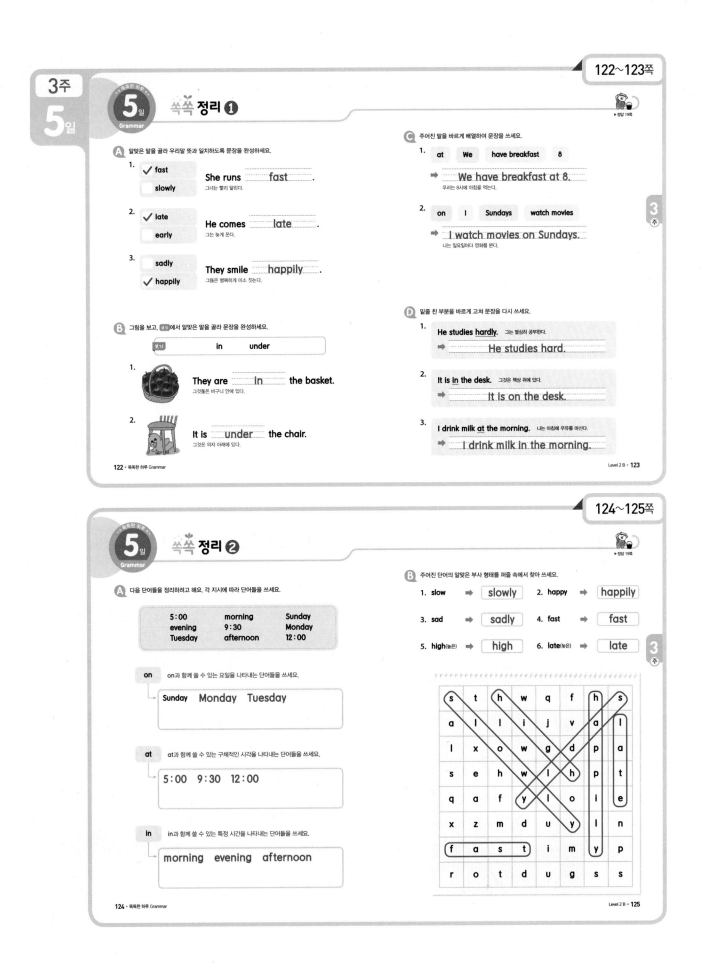

3주 5일

5일 Grammar 쏙쏙 정리 ❶

▶정답 19쪽

A 알맞은 말을 골라 우리말 뜻과 일치하도록 문장을 완성하세요.

1. ✓ fast / slowly — She runs __fast__ .
그녀는 빨리 달린다.

2. ✓ late / early — He comes __late__ .
그는 늦게 온다.

3. sadly / ✓ happily — They smile __happily__ .
그들은 행복하게 미소 짓는다.

B 그림을 보고, 보기 에서 알맞은 말을 골라 문장을 완성하세요.

보기 in   under

1. They are __in__ the basket.
그것들은 바구니 안에 있다.

2. It is __under__ the chair.
그것은 의자 아래에 있다.

C 주어진 말을 바르게 배열하여 문장을 쓰세요.

1. at | We | have breakfast | 8
➡ __We have breakfast at 8.__
우리는 8시에 아침을 먹는다.

2. on | I | Sundays | watch movies
➡ __I watch movies on Sundays.__
나는 일요일마다 영화를 본다.

D 밑줄 친 부분을 바르게 고쳐 문장을 다시 쓰세요.

1. He studies <u>hardly</u>. 그는 열심히 공부한다.
➡ __He studies hard.__

2. It is <u>in</u> the desk. 그것은 책상 위에 있다.
➡ __It is on the desk.__

3. I drink milk <u>at</u> the morning. 나는 아침에 우유를 마신다.
➡ __I drink milk in the morning.__

122 • 똑똑한 하루 Grammar

Level 2 B • 123

5일 Grammar 쏙쏙 정리 ❷

▶정답 19쪽

A 다음 단어들을 정리하려고 해요. 각 지시에 따라 단어들을 쓰세요.

5:00	morning	Sunday
evening	9:30	Monday
Tuesday	afternoon	12:00

on on과 함께 쓸 수 있는 요일을 나타내는 단어들을 쓰세요.
→ Sunday Monday Tuesday

at at과 함께 쓸 수 있는 구체적인 시각을 나타내는 단어들을 쓰세요.
→ 5:00 9:30 12:00

in in과 함께 쓸 수 있는 특정 시간을 나타내는 단어들을 쓰세요.
→ morning evening afternoon

B 주어진 단어의 알맞은 부사 형태를 퍼즐 속에서 찾아 쓰세요.

1. slow ➡ __slowly__   2. happy ➡ __happily__

3. sad ➡ __sadly__   4. fast ➡ __fast__

5. high(높은) ➡ __high__   6. late(늦은) ➡ __late__

s	t	h	w	q	f	h	s
a	l	l	i	j	v	a	l
l	x	o	w	g	d	p	a
s	e	h	w	l	h	p	t
q	a	f	y	l	o	i	e
x	z	m	d	u	y	l	n
f	a	s	t	i	m	y	p
r	o	t	d	u	g	s	s

124 • 똑똑한 하루 Grammar

Level 2 B • 125

3주
특강

3주 누구나 100점 **TEST**

맞은 개수 /8개
▶ 정답 20쪽

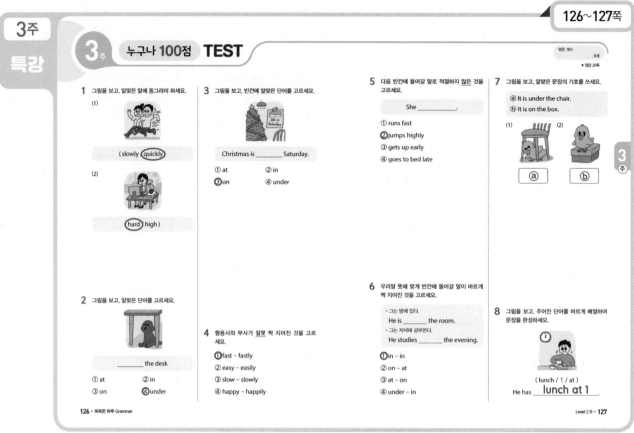

1 그림을 보고, 알맞은 말에 동그라미 하세요.

(1) (slowly (quickly))

(2) ((hard) high)

2 그림을 보고, 알맞은 단어를 고르세요.

_____ the desk

① at   ② in
③ on   ④ under

3 그림을 보고, 빈칸에 알맞은 단어를 고르세요.

Christmas is _____ Saturday.

① at   ② in
③ on   ④ under

4 형용사와 부사가 잘못 짝 지어진 것을 고르세요.

① fast – fastly
② easy – easily
③ slow – slowly
④ happy – happily

5 다음 빈칸에 들어갈 말로 적절하지 않은 것을 고르세요.

She _____.

① runs fast
② jumps highly
③ gets up early
④ goes to bed late

6 우리말 뜻에 맞게 빈칸에 들어갈 말이 바르게 짝 지어진 것을 고르세요.

• 그는 방에 있다.
He is _____ the room.
• 그는 저녁에 공부한다.
He studies _____ the evening.

① in – in
② on – at
③ at – on
④ under – in

7 그림을 보고, 알맞은 문장의 기호를 쓰세요.

ⓐ It is under the chair.
ⓑ It is on the box.

(1)   (2)

ⓐ   ⓑ

8 그림을 보고, 주어진 단어를 바르게 배열하여 문장을 완성하세요.

(lunch / 1 / at)

He has __lunch at 1__.

3주 **특강** 창의·융합·코딩 ❶
Brain Game Zone

정답 20쪽

배운 내용을 떠올리며 말판 놀이를 해 보세요.

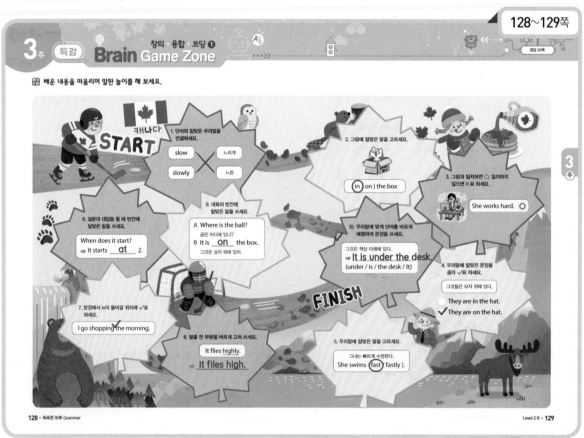

START
캐나다

1. 단어와 알맞은 우리말을 연결하세요.

slow ✕ 느리게
slowly ✕ 느린

2. 그림에 알맞은 말을 고르세요.

((in) on) the box

3. 그림과 일치하면 ○, 일치하지 않으면 ✕표 하세요.

She works hard. ○

8. 질문의 대답을 할 때 빈칸에 알맞은 말을 쓰세요.

When does it start?
➡ It starts __at__ 2.

9. 대화의 빈칸에 알맞은 말을 쓰세요.

A Where is the ball?
공은 어디에 있니?
B It is __on__ the box.
그것은 상자 위에 있어.

10. 우리말에 맞게 단어를 바르게 배열하여 문장을 쓰세요.

그것은 책상 아래에 있다.
➡ __It is under the desk__
(under / is / the desk / It)

4. 우리말에 알맞은 문장을 골라 ✓표 하세요.

그것들은 모자 위에 있다.

☐ They are in the hat.
✓ They are on the hat.

7. 문장에서 in이 들어갈 위치에 ✓표 하세요.

I go shopping ✓the morning.

6. 밑줄 친 부분을 바르게 고쳐 쓰세요.

It flies highly.
➡ __It flies high.__

5. 우리말에 알맞은 말을 고르세요.

그녀는 빠르게 수영한다.
She swims ((fast) fastly).

FINISH

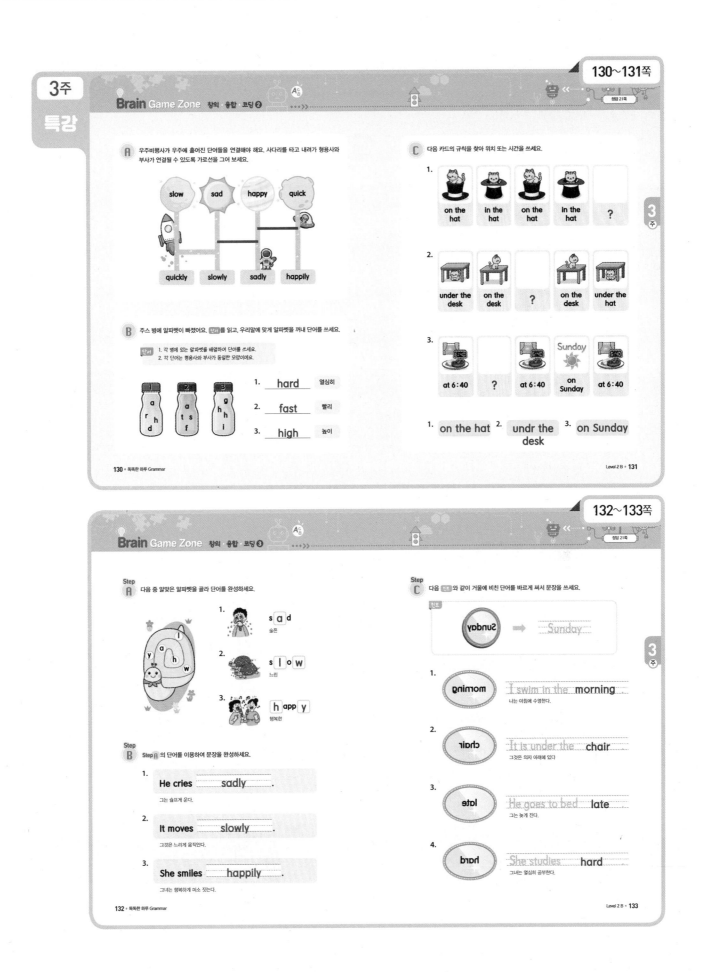

3주
특강

Brain Game Zone 창의 · 융합 · 코딩 ❷

정답 21쪽

A 우주비행사가 우주에 흩어진 단어들을 연결해야 해요. 사다리를 타고 내려가 형용사와 부사가 연결될 수 있도록 가로선을 그어 보세요.

slow   sad   happy   quick

quickly   slowly   sadly   happily

B 주스 병에 알파벳이 빠졌어요. 단서를 읽고, 우리말에 맞게 알파벳을 꺼내 단어를 쓰세요.

단서
1. 각 병에 있는 알파벳을 배열하여 단어를 쓰세요.
2. 각 단어는 형용사와 부사가 동일한 모양이에요.

1. __hard__ 열심히
2. __fast__ 빨리
3. __high__ 높이

C 다음 카드의 규칙을 찾아 위치 또는 시간을 쓰세요.

1.
on the hat | in the hat | on the hat | in the hat | ?

2.
under the desk | on the desk | ? | on the desk | under the hat

3.
at 6:40 | ? | at 6:40 | on Sunday | at 6:40

1. on the hat   2. undr the desk   3. on Sunday

130 · 똑똑한 하루 Grammar

Level 2 B · 131

Brain Game Zone 창의 · 융합 · 코딩 ❸

정답 21쪽

3주

Step A 다음 중 알맞은 알파벳을 골라 단어를 완성하세요.

1. s [a] d 슬픈
2. s l [o] w 느린
3. h [app] y 행복한

Step B Step A 의 단어를 이용하여 문장을 완성하세요.

1. He cries __sadly__.
그는 슬프게 운다.

2. It moves __slowly__.
그것은 느리게 움직인다.

3. She smiles __happily__.
그녀는 행복하게 미소 짓는다.

Step C 다음 단서 와 같이 거울에 비친 단어를 바르게 써서 문장을 쓰세요.

힌트
yabnuS ➡ Sunday

1. gninrom ➡ I swim in the __morning__
나는 아침에 수영한다.

2. riahc ➡ It is under the __chair__
그것은 의자 아래에 있다.

3. etal ➡ He goes to bed __late__
그는 늦게 잔다.

4. drah ➡ She studies __hard__
그녀는 열심히 공부한다.

132 · 똑똑한 하루 Grammar

Level 2 B · 133

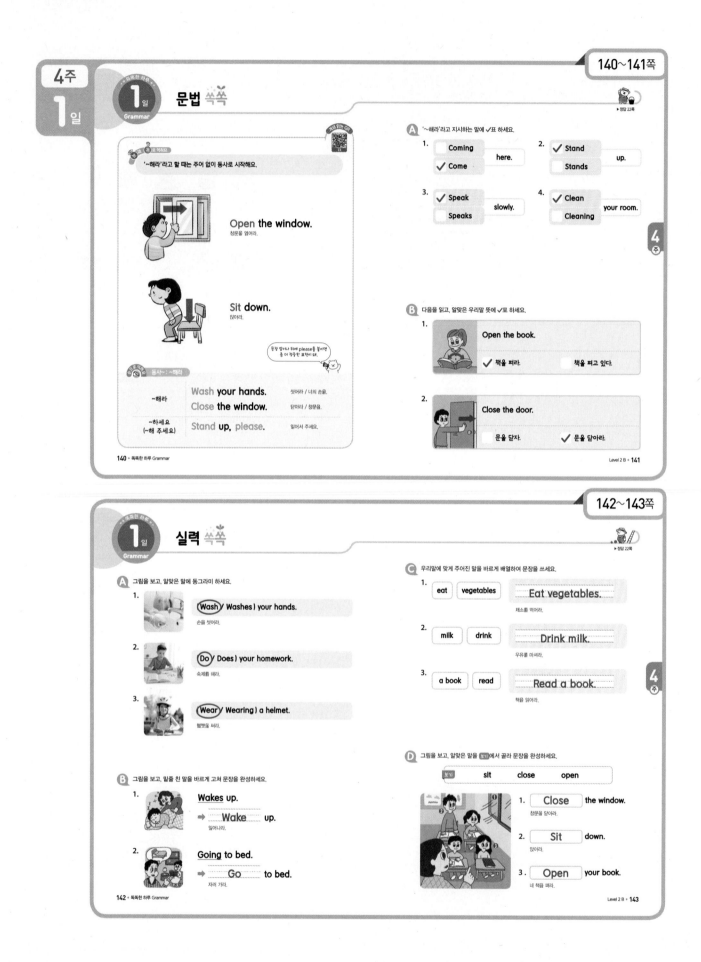

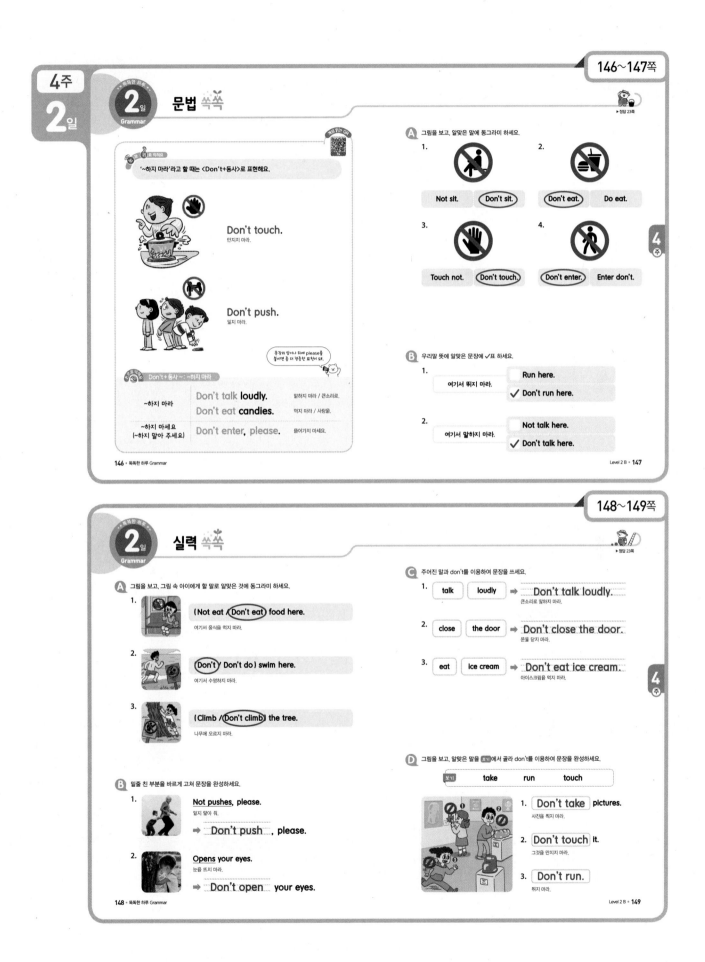

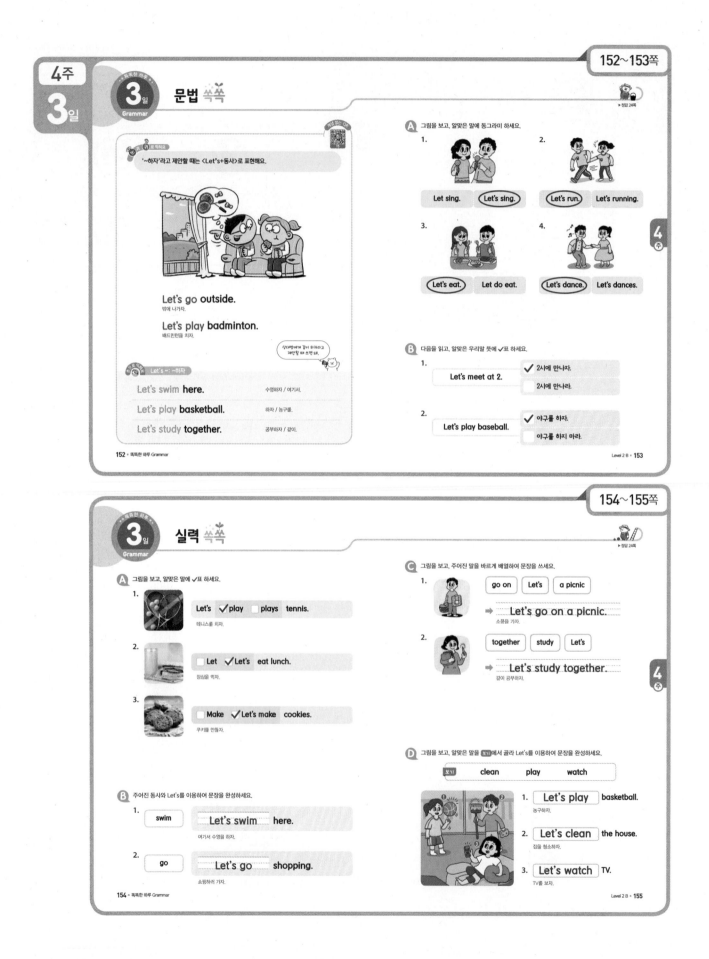

4주 3일

3일 Grammar 문법 쑥쑥

▶정답 24쪽

⟨개념⟩으로 익혀요

'~하자'라고 제안할 때는 〈Let's+동사〉로 표현해요.

Let's go outside.
밖에 나가자.

Let's play badminton.
배드민턴을 치자.

상대방에게 같이 하자라고
제안할 때 쓰면 돼요.

Let's ~: ~하자

Let's swim **here.** 수영하자 / 여기서.

Let's play **basketball.** 하자 / 농구를.

Let's study **together.** 공부하자 / 같이.

152 • 똑똑한 하루 Grammar

A 그림을 보고, 알맞은 말에 동그라미 하세요.

1. Let sing. (Let's sing.)
2. (Let's run.) Let's running.
3. (Let's eat.) Let do eat.
4. (Let's dance.) Let's dances.

B 다음을 읽고, 알맞은 우리말 뜻에 ✓표 하세요.

1. Let's meet at 2.
   - ✓ 2시에 만나자.
   - 2시에 만나라.

2. Let's play baseball.
   - ✓ 야구를 하자.
   - 야구를 하지 마라.

Level 2 B • 153

3일 Grammar 실력 쑥쑥

▶정답 24쪽

A 그림을 보고, 알맞은 말에 ✓표 하세요.

1. Let's ✓play plays tennis.
   테니스를 치자.

2. Let ✓Let's eat lunch.
   점심을 먹자.

3. Make ✓Let's make cookies.
   쿠키를 만들자.

B 주어진 동사와 Let's를 이용하여 문장을 완성하세요.

1. swim
   Let's swim here.
   여기서 수영을 하자.

2. go
   Let's go shopping.
   쇼핑하러 가자.

154 • 똑똑한 하루 Grammar

C 그림을 보고, 주어진 말을 바르게 배열하여 문장을 쓰세요.

1. go on Let's a picnic
   ➡ Let's go on a picnic.
   소풍을 가자.

2. together study Let's
   ➡ Let's study together.
   같이 공부하자.

D 그림을 보고, 알맞은 말을 보기에서 골라 Let's를 이용하여 문장을 완성하세요.

보기 clean play watch

1. Let's play basketball.
   농구하자.

2. Let's clean the house.
   집을 청소하자.

3. Let's watch TV.
   TV를 보자.

Level 2 B • 155

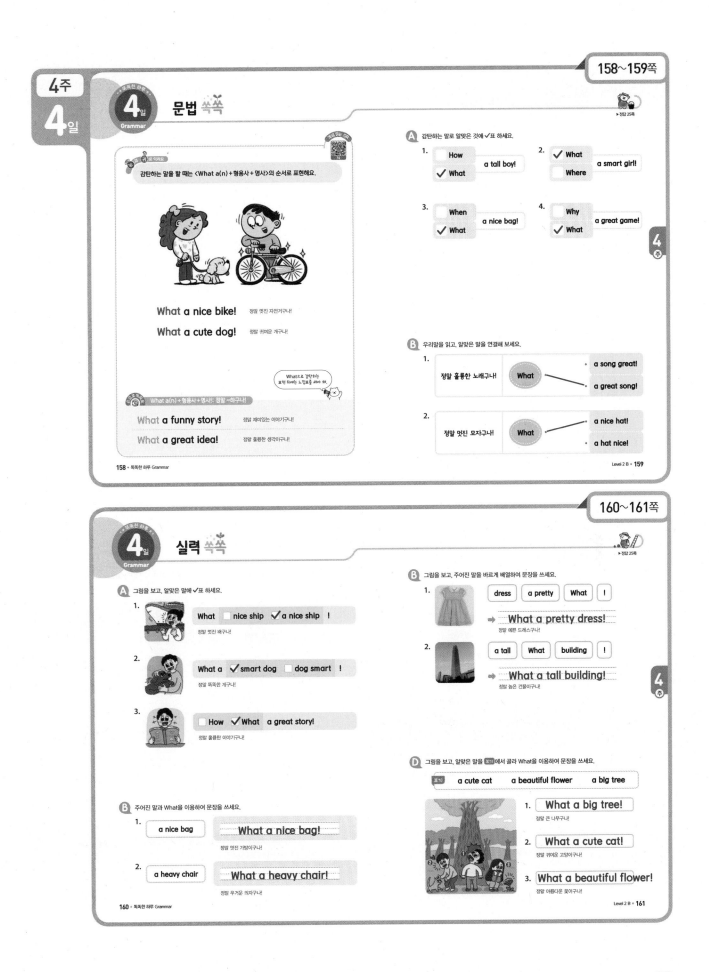

4주 4일

4일 Grammar 문법 쏙쏙

▶정답 25쪽

머리에 익혀요

감탄하는 말을 할 때는 <What a(n)+형용사+명사>의 순서로 표현해요.

What a nice bike! 정말 멋진 자전거구나!

What a cute dog! 정말 귀여운 개구나!

What으로 감탄하는 표현 뒤에는 느낌표를 써야 해요.

한눈에 보여요 What a(n)+형용사+명사! 정말 ~하구나!

What a funny story! 정말 재미있는 이야기구나!

What a great idea! 정말 훌륭한 생각이구나!

A 감탄하는 말로 알맞은 것에 ✓표 하세요.

1. ☐ How / ✓ What a tall boy!

2. ✓ What / ☐ Where a smart girl!

3. ☐ When / ✓ What a nice bag!

4. ☐ Why / ✓ What a great game!

B 우리말을 읽고, 알맞은 말을 연결해 보세요.

1. 정말 훌륭한 노래구나! **What** — a song great! / **a great song!**

2. 정말 멋진 모자구나! **What** — **a nice hat!** / a hat nice!

158 • 똑똑한 하루 Grammar

Level 2 B • 159

4일 Grammar 실력 쏙쏙

▶정답 25쪽

A 그림을 보고, 알맞은 말에 ✓표 하세요.

1. What ☐ nice ship / ✓ a nice ship !
정말 멋진 배구나!

2. What a ✓ smart dog / ☐ dog smart !
정말 똑똑한 개구나!

3. ☐ How / ✓ What a great story!
정말 훌륭한 이야기구나!

B 주어진 말과 What을 이용하여 문장을 쓰세요.

1. a nice bag → **What a nice bag!**
정말 멋진 가방이구나!

2. a heavy chair → **What a heavy chair!**
정말 무거운 의자구나!

B 그림을 보고, 주어진 말을 바르게 배열하여 문장을 쓰세요.

1. dress / a pretty / What / !
➡ **What a pretty dress!**
정말 예쁜 드레스구나!

2. a tall / What / building / !
➡ **What a tall building!**
정말 높은 건물이구나!

D 그림을 보고, 알맞은 말을 보기에서 골라 What을 이용하여 문장을 쓰세요.

보기 a cute cat / a beautiful flower / a big tree

1. **What a big tree!**
정말 큰 나무구나!

2. **What a cute cat!**
정말 귀여운 고양이구나!

3. **What a beautiful flower!**
정말 아름다운 꽃이구나!

160 • 똑똑한 하루 Grammar

Level 2 B • 161

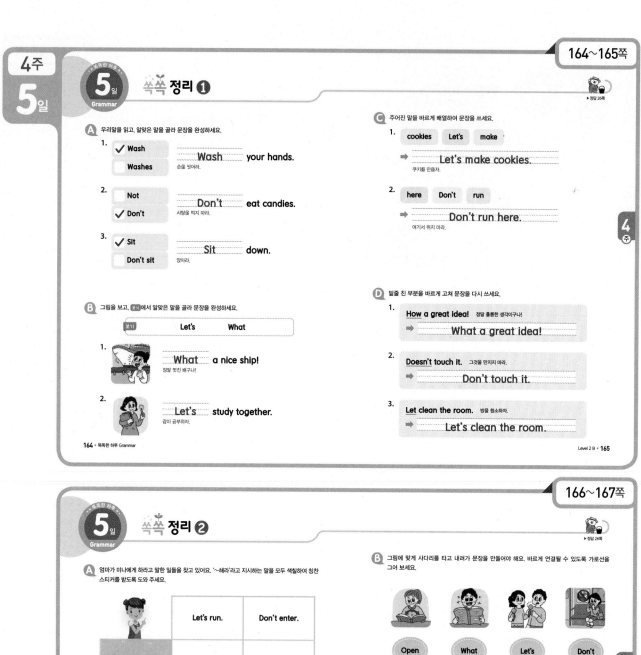

4주

5일

5일 Grammar **쏙쏙 정리 ①**

▶정답 26쪽

Ⓐ 우리말을 읽고, 알맞은 말을 골라 문장을 완성하세요.

1. ✓ Wash / Washes
   __Wash__ your hands.
   손을 씻어라.

2. Not / ✓ Don't
   __Don't__ eat candies.
   사탕을 먹지 마라.

3. ✓ Sit / Don't sit
   __Sit__ down.
   앉아라.

Ⓑ 그림을 보고, 보기에서 알맞은 말을 골라 문장을 완성하세요.

보기 Let's   What

1. __What__ a nice ship!
   정말 멋진 배구나!

2. __Let's__ study together.
   같이 공부하자.

164 · 똑똑한 하루 Grammar

Ⓒ 주어진 말을 바르게 배열하여 문장을 쓰세요.

1. cookies Let's make
   ⇒ __Let's make cookies.__
   쿠키를 만들자.

2. here Don't run
   ⇒ __Don't run here.__
   여기서 뛰지 마라.

Ⓓ 밑줄 친 부분을 바르게 고쳐 문장을 다시 쓰세요.

1. **How a great idea!** 정말 훌륭한 생각이구나!
   ⇒ __What a great idea!__

2. **Doesn't touch it.** 그것을 만지지 마라.
   ⇒ __Don't touch it.__

3. **Let clean the room.** 방을 청소하자.
   ⇒ __Let's clean the room.__

Level 2 B · 165

5일 Grammar **쏙쏙 정리 ②**

▶정답 26쪽

Ⓐ 엄마가 미나에게 하라고 말한 일들을 찾고 있어요. '~해라'라고 지시하는 말을 모두 색칠하여 칭찬 스티커를 받도록 도와 주세요.

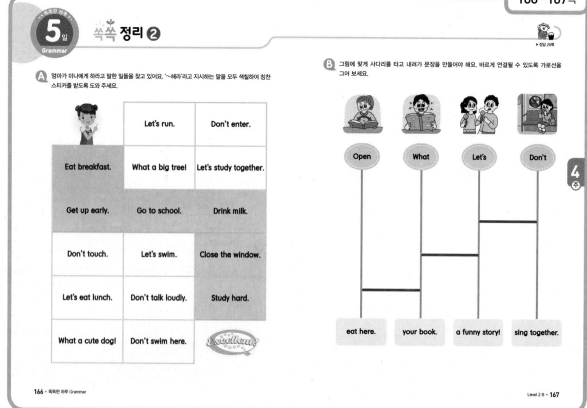

Let's run.	Don't enter.
Eat breakfast.	What a big tree!	Let's study together.
Get up early.	Go to school.	Drink milk.
Don't touch.	Let's swim.	Close the window.
Let's eat lunch.	Don't talk loudly.	Study hard.
What a cute dog!	Don't swim here.	Excellent!

Ⓑ 그림에 맞게 사다리를 타고 내려가 문장을 만들어야 해요. 바르게 연결될 수 있도록 가로선을 그어 보세요.

Open   What   Let's   Don't

eat here.   your book.   a funny story!   sing together.

166 · 똑똑한 하루 Grammar

Level 2 B · 167

4주 특강

4주 누구나 100점 TEST

맞은 개수 /8개
▶정답 27쪽

[1~2] 그림을 보고, 빈칸에 알맞은 단어를 고르세요.

1

_____ down.

① Sit　②Stand
③ Don't sit　④ Don't stand

2

Let's _____ together.

① study
② studies
③ studying
④ not studying

[3~4] 다음 문장을 바르게 고친 것을 고르세요.

3

How a bag nice!
정말 멋진 가방이구나!

① How a nice bag!
② What a bag nice!
③ What a nice bag!
④ What nice a bag!

4

Touch the picture.
그림을 만지지 마라.

① Touches the picture.
② Not touch the picture.
③ Don't touch the picture.
④ Let's touch the picture.

5 우리말을 영어로 바르게 옮긴 것을 고르세요.

방을 청소하자.

① Clean the room.
② Don't clean the room.
③ Let's clean the room.
④ What a clean room!

6 그림을 보고, 알맞은 말을 골라 쓰세요.

(1)

Let's eat dinner.
(Let / Let's)

(2)

What a smart dog!
(What / What is)

7 그림을 보고, 알맞은 문장의 기호를 쓰세요.

ⓐ Go to bed.
ⓑ Don't climb the tree.

(1)　　　(2)

ⓑ　　　ⓐ

8 그림을 보고, 주어진 말을 바르게 배열하여 문장을 쓰세요.

Don't eat food here.
(here / eat / food / Don't)

168 • 똑똑한 하루 Grammar　　　Level 2 B • 169

4주 특강 Brain Game Zone

창의 · 융합 · 코딩 ❶

정답 27쪽

배운 내용을 떠올리며 말판 놀이를 해 보세요.

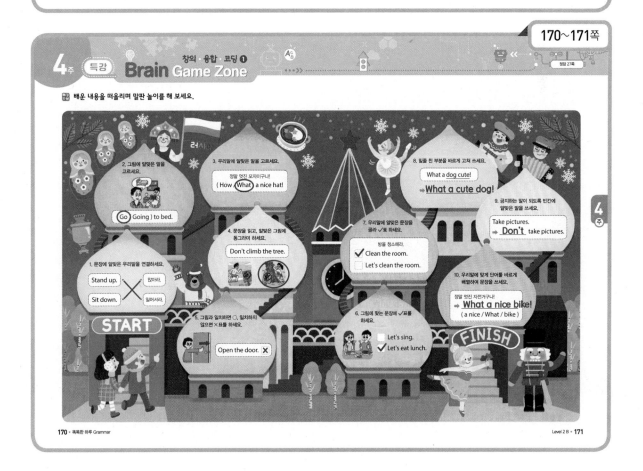

170 • 똑똑한 하루 Grammar　　　Level 2 B • 171

정답 • **27**

4주 특강

Brain Game Zone 창의·융합·코딩 ❷

A 건우가 새롬이에게 해야 할 일을 암호로 알려 줬어요. 단서 와 힌트 를 참고하여 암호를 푼 후 문장을 완성하세요.

단서

★	●	○	△	◎	♠	♣	◆	◑	▣
a	w	h	y	t	s	e	d	u	

힌트

◆	☆	◆
e	a	t

➡ **Eat** lunch.
점심을 먹어라.

1.
●	☆	♣	△
w	a	s	h

➡ **Wash** your hands.
손을 씻어라.

2.
♣	♠	▣	◑	◎
s	t	u	d	y

➡ **Study** hard.
열심히 공부해라.

B 화살표 방향대로 단어 칸을 따라가 순서대로 만나는 단어들로 문장을 완성하세요.

1.
up	here	eat
run	drink	sit
출발	don't	?

➡ ↗ ↘

Don't sit here.
여기 앉지 마라.

2.
it	eat	swim
touch	출발	food
late	don't	up

↓ ↘ ↑

Don't touch it.
그것을 만지지 마라.

C 미로를 통과하며 만나는 단어로 문장을 완성하세요.

1.
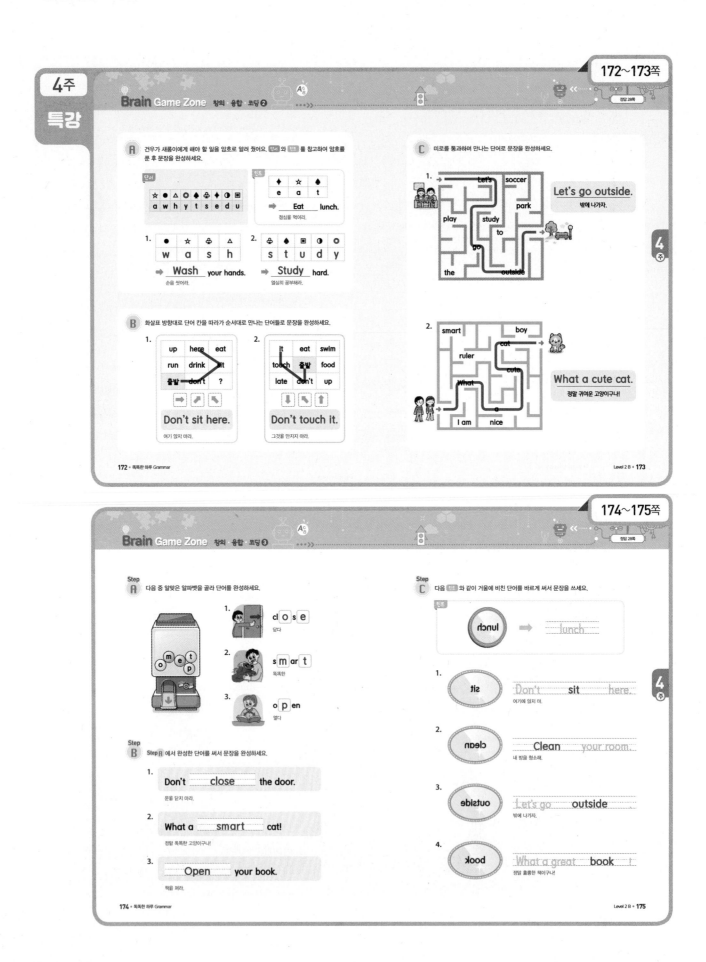

Let's go outside.
밖에 나가자.

2.

What a cute cat.
정말 귀여운 고양이구나!

Brain Game Zone 창의·융합·코딩 ❸

Step A 다음 중 알맞은 알파벳을 골라 단어를 완성하세요.

o m e t p

1. cl**o**s**e**
닫다

2. s**m**ar**t**
똑똑한

3. o**p**en
열다

Step B Step A 에서 완성한 단어를 써서 문장을 완성하세요.

1. Don't **close** the door.
문을 닫지 마라.

2. What a **smart** cat!
정말 똑똑한 고양이구나!

3. **Open** your book.
책을 펴라.

Step C 다음 힌트 와 같이 거울에 비친 단어를 바르게 써서 문장을 쓰세요.

힌트
lunch ➡ lunch

1. sit
Don't **sit** **here.**
여기 앉지 마.

2. clean
Clean your room.
네 방을 청소해.

3. outside
Let's go **outside**
밖에 나가지.

4. book
What a great **book**
정말 훌륭한 책이구나!

초등 영어 자기주도학습 기초서

매일매일 쌓이는 영어 기초력

똑똑한 하루
VOCA/Reading/Grammar/Phonics

공부 습관 다지기

하루 6쪽, 주 5일, 4주 학습의
체계적인 구성으로 차곡차곡
실력이 쌓이는 영어 공부 습관!

전 영역 마스터

보카, 리딩, 그래머, 파닉스까지
초등 영어 전 영역을 커버하는
완벽한 구성으로 영어 걱정 끝!

재미있는 놀이 학습

그림, 만화, 창의 게임 활동 등의
놀이 학습과 발음 동영상으로
가장 쉽고 재미있게 기초력 UP!

'똑똑한 하루 영어 시리즈'와 함께 똑똑하게 영어 공부하자!

VOCA, Reading, Grammar 각 8권
초3~6 각 A·B (하루 6쪽)

Phonics 8권
Starter A·B, 1A·1B (하루 4쪽)
2A~3B (하루 6쪽)

정답은
이안에
있어!